Au guide du Struthof,
qui me prit par la main,
un jour de 1953.

Responsable de la collection : Hélène Wadowski
Coordination éditoriale : Frédérique Guillard, Catherine Jardin
Direction artistique : Bernard Girodroux

JEAN-PAUL NOZIÈRE

LA CHANSON DE HANNAH

Illustrations de Jacques Ferrandez

NATHAN

Avertissement

Ce roman se passe dans une ville imaginaire de Saône-et-Loire (proche de la ligne de démarcation), où il y avait des mines de charbon.

Cette précision paraît utile, de nombreux lecteurs associant le mot « mine » au Nord de la France ou à la Lorraine.

PRIVÉ

AOÛT 1940

1

L'APRÈS-MIDI, particulièrement calme n'en finissait pas. La soudaine chaleur prolongeait la sieste de la clientèle habituelle du Café des Amis. C'étaient de modestes retraités ou des gens sans travail. Une seule table de marbre était occupée par quatre joueurs de belote somnolents.

La patronne, Jeanne Beaujour, employait les heures creuses à faire la vaisselle. Elle briquait les verres à apéritif trois fois par jour, car elle vivait dans la hantise de traces suspectes. Si les clients n'arrivaient pas, sa bonne volonté serait inutile : le bar était impeccablement rangé et, depuis une heure, les joueurs de cartes sirotaient la même bière affadie, comme si boire demandait trop d'énergie.

– Loulou, as-tu balayé sous les banquettes ?

L'enfant fourra vivement son illustré sous la pile de vieux journaux.

– Oui, oui, madame Beaujour.

– Les glaces ?

– Nettoyées au vinaigre tout à l'heure.

– À la maison, je m'ennuie.

La patronne du Café des Amis soupira. Sa volumineuse poitrine gonfla le corsage de coton rose.

– Cesse donc d'employer ce nom stupide de Beaujour ! Dis madame Jeanne, comme les autres. Rentre chez toi, aujourd'hui, ce sera tout. Quelle époque ! Si les gens ne jouent plus aux cartes…

– Je n'ai pas envie, madame ; à la maison, je m'ennuie.

– Tu n'aides jamais tes parents ? Au fait, quel est le métier de ton père ?

Louis n'avait aucune envie de discuter de sa famille. La patronne ne s'intéressait d'ailleurs pas à sa vie personnelle : elle posait la question par politesse. Il détourna la conversation.

– Monsieur Jean doit rapporter une bonbonne de vin, je le mettrai en bouteilles et…

– Son vin, il le fabrique ! Deux heures qu'il est parti !

À travers un éclat de soleil, madame Jeanne mira un haut verre à pied. Dans ses grosses mains, aux doigts boudinés et bagués de fausses pierres précieuses, il paraissait fragile alors qu'il était fait d'un matériau grossier. Un sourire satisfait illuminait son visage. Louis profita de sa bonne humeur.

– J'aimerais ranger la cave, les casiers vides embarrassent le passage ; monsieur Jean pourrait se blesser.

– Ah ! ça c'est vrai, mon mari déteste s'enterrer là-dessous ! Il préfère traîner avec ses amis.

– Il y a au moins une heure de travail…

Louis considéra la patronne d'un air détaché. Le silence qui suivit était aussi clair qu'une réclamation. Jeanne Beaujour éclata d'un rire cristallin, franchement ridicule de la part d'une aussi forte femme.

– Tu te débrouilles bien pour un gamin de dix ans ! Entendu, fais le ménage dans cette maudite cave et, si je suis satisfaite, je te donne... Disons... Cent sous ?

Louis hocha la tête et récupéra son illustré. La cave serait vite en ordre ; il continuerait donc tranquillement sa lecture à la lueur de la lampe tempête. D'ailleurs, fuir la salle de café déserte, qui baignait dans une chaleur moite, était une bénédiction. Lorsqu'il remonterait, les clients habituels auraient repris leur place.

Derrière le comptoir, Louis souleva la trappe qui dissimulait l'escalier de bois. Il posait le pied sur la première marche quand un soldat allemand poussa la porte du Café des Amis. Aussitôt, Louis regretta sa proposition : peu habitué encore aux Allemands qui s'installaient progressivement en ville, il aimait beaucoup les observer. Leur français hésitant, leur accent appuyé l'amusaient et il pouffait de rire à chaque phrase.

Mais son intérêt pour les Allemands s'expliquait aussi par un projet fou : Louis Podski volerait une de ces paires de bottes noires et luisantes qui gainaient les jambes des officiers.

Les Allemands avaient installé la Kommandantur[1] au Palace Hôtel. (Comment ignorer l'immense drapeau à croix gammée dont les claquements secs étaient autant de rappels cuisants ?) Pourtant, Louis ne remarquait guère les rapides changements que connaissait sa petite ville. Il ne se souciait pas de la guerre perdue, ni de l'Occupation qui commençait. Sa vie d'enfant débrouillard se partageait entre le coron[2] où il restait le moins possible et le centre de la cité que les magasins, les promeneurs, les immeubles

1. Kommandantur, *n. f.* : local où se trouvait installé le commandement militaire allemand.

2. Coron, *n. m.* : habitation des mineurs ; quartier formé par un groupe de ces maisons.

coquets rendaient plus alléchant. Un bon kilomètre séparait sa maison de la ville, distance qu'il n'hésitait pas à parcourir plusieurs fois par jour, même lorsque l'école rognait sa liberté.

Au coron n'habitaient presque que des Polonais et, dans des baraques voisines, quelques Russes misérables mais hautains qui ressassaient l'éternelle complainte de leur pays abandonné. Les maisons identiques, bâties de pierre noire, s'alignaient de part et d'autre d'une rue rectiligne, non goudronnée. La ressemblance allait jusqu'au moindre détail, puisqu'il était interdit aux mineurs de choisir la couleur des volets – uniformément verts – ou de planter un arbuste non homologué par la Direction des Charbonnages.

Louis détestait jouer dans la boue du quartier ; il détestait aussi les « Polaks », qui baragouinaient des phrases sans queue ni tête, mélange de polonais et de mauvais français. Depuis qu'il avait grandi de dix bons centi-

mètres et faisait plus que son âge, personne ne s'avisait de le traiter de Polak. Du reste, ses cuisses puissantes, que les courses incessantes musclaient encore, donnaient une impression de vigueur exceptionnelle.

À l'école, l'instituteur ne prononçait plus qu'à regret le mot « polonais » et, dans ce cas, évitait de croiser le regard pénétrant de Louis.

Une fois, Louis avait questionné son père :

– Puisque nous habitons en France, nous ne sommes pas polonais.

D'abord, Abraham Podski n'avait pas répondu ; puis, après un interminable silence, il avait martelé les mots comme si la curiosité de son fils l'irritait :

– Tu es né ici. Tu es français. Tu te nommes Louis. Ta mère et moi… je suis mineur de charbon, ta mère est femme de mineur et la Pologne… la Pologne…

Un sourire désabusé avait erré sur ses lèvres pendant que sa main balayait l'air plusieurs fois.

– Ne parle jamais de la Pologne. Le passé est mort, seul l'avenir compte. Seul ton avenir compte.

– Le passé est mort.

Aussi Louis construisait-il sa vie loin du coron et de ses habitants. Quelques mois auparavant, au cours d'une de ces flâneries qui l'entraînaient de plus en plus loin, il était entré crânement au Café des Amis. Personne ne s'inquiétant de la présence d'un si jeune garçon dans un tel lieu, Louis avait écouté, regardé les joueurs de cartes durant des heures. Le lendemain et les jours suivants, il était revenu, si bien que peu à peu, sans qu'on y prît garde, le Café des Amis était devenu comme une seconde famille. Il connaissait tout le monde, tout le monde croyait le connaître. Il rendait de menus services, habilement monnayés, et surtout écoutait les conversations des adultes. Il apprenait une masse de choses, vraies ou fausses, auxquelles il rêvait la nuit.

Durant des mois, le sujet préféré des clients

du Café des Amis avait été la guerre. Depuis peu, le visage tendu, ils évoquaient la défaite. Ils ignoraient le nom de famille de Louis qu'ils appelaient souvent Loulou, et madame Jeanne et monsieur Jean étaient persuadés que le « gamin » vivait dans le quartier.

... seul l'avenir compte

Louis Podski partageait donc son temps entre deux univers très différents, distants d'un kilomètre. Pourtant, au coron comme au Café des Amis, Louis était davantage une silhouette qu'un garçon dont on pouvait se vanter de partager les pensées.

Ce soir-là, au sortir du café, Louis partit en courant. Jamais ses parents n'exigeaient de comptes, jamais ils ne le questionnaient ; au contraire, ils semblaient satisfaits de cette vie loin du coron. Cependant, leur tolérance s'arrêtait avec la disparition du soleil. Si Louis avait envie de s'échapper la nuit, il lui suffisait d'enjamber la fenêtre de la chambre qui donnait directement sur la rue du Puits-Marie.

Beaucoup de magasins étaient fermés. Les lourds volets de bois portaient parfois des mentions fantaisistes – congés annuels, décès familial, travaux de réfection – alors que c'était l'exode[1] qui avait dispersé leurs propriétaires. Certains étaient prisonniers en Allemagne. Louis sautait les trottoirs, frôlait les passants pressés, slalomait entre les bicyclettes qui, à cette heure de sortie du travail, encombraient les rues. Au cours de ces trajets, il ne s'ennuyait jamais. Il disposait d'un nombre incalculable de farces, la plus stupide consistant à avertir les cyclistes qu'ils avaient perdu un objet, deux ou trois cents mètres en arrière. Ils freinaient aussitôt, examinaient le porte-bagages de leur engin, fouillaient leurs poches et, lorsqu'ils se décidaient à hausser les épaules, Louis avait disparu.

1. Exode, *n. m.* : fuite des populations civiles devant l'avance des Allemands en mai et juin 1940.

Ou bien parfois, lorsqu'il croisait un militaire allemand, Louis s'arrêtait à une dizaine de pas et, d'un ton d'une extrême politesse, questionnait :

– Aux chiottes, Hitler ?

Jusque-là, par bonheur, il n'avait rencontré que des soldats allemands ignorants des richesses du vocabulaire français

Louis comprenait vaguement qu'Hitler dirigeait l'Allemagne. Les Français le détestaient. Ça, Louis l'admettait : la guerre était perdue. Quant à ses parents, ils ne prononçaient jamais le nom de Hitler, pas plus que celui d'un autre chef d'État.

Alors qu'il courait dans les rues, en ce mois d'août 1940, comment Louis aurait-il pu se douter que la guerre, à laquelle il ne s'intéressait pas, allait cependant bouleverser sa vie ? Les modifications imperceptibles – et incompréhensibles – de ce qui faisait la routine des jours feraient finalement basculer son univers.

Tout débuta quand il surgit, à bout de souffle dans la cuisine familiale.

Louis pensait trouver sa mère seule, affairée à la préparation d'un de ces plats de pommes de terre qui, avec le café au lait et les tartines, composait l'essentiel des repas du soir. Pourtant, alors que la benne du puits 15 descendait les mineurs à dix-huit heures trente, son père était encore à la maison. Si sa présence anormale était préoccupante, le fait que ses parents s'expriment en polonais l'était encore plus. Louis ne comprenait pas un mot de cette langue, dont l'emploi était totalement banni. Dès leur arrivée en France, en 1930, le couple Podski s'était acharné à l'apprentissage du français et, lorsque cinq mois plus tard Louis était né, Abraham Podski avait décrété que dans sa maison jamais son fils n'entendrait un mot de polonais.

De temps à autre, il oubliait son serment. Parfois, au cours d'une querelle de ménage

– ce qui était exceptionnel –, il se laissait aller. Un jour, une explosion de grisou ayant déchiqueté deux mineurs, Abraham avait rugi de fureur dans sa langue natale. À l'époque, malgré son jeune âge, Louis avait deviné que son père accusait la Direction des Charbonnages et que le polonais dissimulait la violence des injures.

Une chaleur suffocante régnait dans la cuisine. La fenêtre et les volets clos transformaient la minuscule pièce en une sorte de confessionnal sombre et secret. Hannah Podski, frêle petite bonne femme au bagout intarissable, écoutait sans mot dire son mari, habituellement taciturne. Ils se faisaient face, assis chacun à un bout de table, et étaient aussi inertes que des mannequins. Devant Hannah qui tenait son couteau comme un cierge, les pommes de terre et les carottes non pelées indiquaient assez la perplexité d'une femme incapable de demeurer inactive.

Abraham disait souvent que, le jour de sa mort, Hannah courrait au paradis le balai à la main.

Lorsque Louis entra, ses parents eurent l'air affolé. Sa mère laissa échapper son couteau, le vert de ses yeux perdit de son éclat.

– Assieds-toi, dit Abraham, j'ai à te parler.

Surpris de tant de solennité, Louis se cala dans son coin, entre le buffet et le coffre à charbon. Mais Abraham poursuivit la conversation en polonais. Ses lèvres frémissaient. Il tenait ses bras solidement croisés comme s'il tentait de refréner une colère qu'il ne dominerait plus si elle s'amorçait. En règle générale, Abraham conservait un visage lisse sur lequel on ne lisait aucun sentiment. Ce manque apparent d'émotion, ajouté au peu de goût qu'il manifestait pour la discussion, expliquait le petit nombre de ses relations. Dans le coron, malgré les efforts de Hannah, sa réputation de fierté orgueilleuse rejaillissait sur la famille entière.

Certains les nommaient « les Français » en ricanant.

Louis s'aperçut que son père ne portait pas ses vêtements de travail mais le pantalon de gros velours et la chemise à carreaux qu'il mettait à la maison, quelle que fût la saison.

Enfin, Abraham Podski se tourna vers son fils. Sa voix rauque mangeait les mots.

– J'ai à te parler...

À nouveau, il se tut. Depuis toujours, un mélange de pudeur et de gêne les séparait.

On aurait dit qu'Abraham s'étonnait perpétuellement de la présence d'une tierce personne sous son toit.

La gravité de l'annonce et sa répétition déconcertaient. Une fois pour toutes, dès la naissance de Louis, il avait été entendu que Hannah élèverait l'enfant. Aussi, Abraham parlait rarement à son fils et ne se préoccupait pas de son éducation. Une seule fois, il avait tenu un long discours moralisateur, amplement justifié il est vrai. L'instituteur avait affirmé que pour allumer un feu il suffisait d'une loupe et du soleil. Louis avait vérifié en incendiant une centaine d'ares de blé mûr.

Une troisième fois, Abraham répéta :

– J'ai à te parler.

Du coin de l'œil, il lorgna sa femme, corrigea :

– Ta mère et moi avons à te parler. Il te faudra écouter attentivement, tu es un enfant et… et…

Il pétrissait ses mains qu'il avait grosses, avec des doigts plutôt courts, aux ongles ébréchés. Hannah vint à son aide :

– Dis carrément les choses, Louis est grand maintenant et nous n'avons que trop tardé.

Les paupières lourdes d'Abraham, aux cils touffus, d'un noir de houille[1], s'abaissèrent un instant, comme s'il cherchait un secours à l'intérieur de lui-même. Lorsqu'il

---

1. Houille, *n. f.* : charbon naturel, provenant de végétaux décomposés.

ouvrit les yeux, il accrocha intensément son regard à celui de son fils. C'était une sorte de supplication muette, l'espoir fou que Louis comprendrait à travers la maladresse des paroles.

– En début d'après-midi, le directeur de la mine m'a convoqué. Il désirait savoir si j'étais juif.

– C'est quoi, juif ? interrompit Louis.

Abraham enfouit son visage entre ses mains. Sa femme refusa de l'aider. Au contraire, elle accusa :

– Tu vois où nous en sommes ! À quoi cela a-t-il servi ? Au lieu de vivre normalement…

Abraham lança une injure en polonais.

– Tu es juif, ta mère et moi le sommes, c'est… c'est notre religion.

– C'est quoi, une religion ?

Le silence qui s'installa dans la cuisine séparait la famille Podski plus sûrement qu'une querelle. Une guêpe, engluée dans l'eau sucrée d'un piège, bourdonnait désespérément. Dès qu'elle atteignait le bord de la soucoupe, croyant reprendre sa liberté, ses ailes alourdies la replongeaient au cœur du liquide. Les joues d'Abraham étaient blêmes. Quant à Hannah, elle retenait ses pleurs. L'attitude déroutante de ses parents embarrassait Louis. Contre quoi le mettaient-ils en garde ? Que dissimulaient-ils donc qui provoquait tant d'inquiétude ?

– Écoute-moi cinq minutes sans m'interrompre, reprit Abraham.

Et, à l'adresse de Hannah, il dit durement :

– Bon, j'ai eu tort, me le rappeler est inutile ! Une religion est quelque chose à laquelle on croit, c'est Dieu, c'est... oh ! comment raconter en si peu de mots ? Nous t'expliquerons mieux dans les jours à venir mais, aujourd'hui, le temps presse. Nous sommes juifs, voilà tout. Lorsque nous sommes arrivés en France, j'ai décidé que nous oublierions notre passé. Pour toi. Si nous avons quitté la Pologne, c'est non seulement parce que le travail manquait, mais aussi parce que les Polonais de Piotrkow, où nous habitions, détestaient les juifs. Ils nous ont obligés à fuir. À ta naissance, nous t'avons donné le prénom de Louis, nous t'avons appris le français, nous t'avons élevé comme un petit Français et, surtout, nous avons oublié que nous étions juifs. Ne crois pas que cela ait été facile, oh ! non, cela ne l'a pas été...

Abraham soupira. Il glissa ses grosses mains dans son épaisse chevelure noire et bouclée.

– Je croyais bien faire, murmura-t-il.

Il eut une grimace, puis fixa la guêpe qui se débattait dans son piège.

Louis ne comprenait toujours pas. Il acceptait volontiers d'être juif : le mot n'avait aucun sens. Par contre, il était reconnaissant à ses parents de n'avoir pas fait de lui un de ces « Polaks » au langage incertain ! Intuitivement, à travers le discours brumeux de son père, il saisissait maintenant pourquoi sa famille attachait tant d'importance à ses résultats scolaires. Il quitta le coin du meuble, s'installa à son tour derrière la table.

Hannah prit le relais d'Abraham. Sa voix, mal assurée, avait des tons aigus que Louis ne reconnaissait pas.

– Les Allemands ont malheureusement gagné la guerre. Ils haïssent encore plus les juifs que les habitants de Piotrkow ne les haïssaient. La signification de tout cela t'échappe un peu, mais songe que les Allemands peuvent nous faire beaucoup de mal.

– Pourquoi ils n'aiment pas les juifs ?

– Je ne sais vraiment pas, eux-mêmes ne le savent sans doute pas. C'est à cause de ce fou.

– Quel fou ?

– Peu importe, dit vivement Hannah. En parler ne changera rien.

– Mais pourquoi as-tu dit que tu étais juif ? demanda Louis à son père.

Abraham eut un rire sarcastique.

– Abraham ! Mon prénom est une signature. Tel un idiot, j'imaginais mille ruses pour me dissimuler et j'oubliais… Abraham ! C'est un superbe prénom juif, mais rassure-toi, le tien ne te désignera pas à la meute des chacals. Peut-être le directeur de la mine est-il un brave homme, mais la Kommandantur a exigé la liste des mineurs juifs, et il a dû obéir. Nous ne sommes que quatre et je crains pour mon travail.

– C'est injuste ! s'indigna Louis.

– Oui, c'est injuste, admit Abraham avec fatalisme[1]. Cependant, fiston, tant que les Allemands seront là, nous craindrons bien davantage. Les insultes, le mépris, peut-être la prison.

Fiston ! Son père l'avait appelé fiston ! Le mot troubla Louis au point qu'il n'entendit pas celui de « prison ».

Une sorte de paix complice rapprocha la famille Podski. Malgré les menaces annoncées, Hannah et Abraham paraissaient libérés d'un grand poids. Quant à Louis, s'il ne réalisait ni la nature ni l'importance du danger, il partageait avec ses parents la gravité du moment. Le visage de Hannah se détendit. À plusieurs reprises, elle cligna de l'œil.

– Écoute. Écoute… fiston… ce que ton père dira et, surtout, ne l'oublie pas. Jamais.

Abraham toussota.

---

1. Fatalisme, *n. m.* : attitude qui consiste à accepter les événements, sans rien faire pour s'y opposer.

– Louis, n'admets jamais que tu es juif. Même si on te le demande. Mens, mens toujours, mens même si on te menace, mens même si on te promet des récompenses fabuleuses. À partir d'aujourd'hui, si quelqu'un te demande mon prénom, tu répondras « Lucien ». Prépare-toi, de plus en plus tu entendras ce mot de juif, de plus en plus on te le lancera à la figure comme une injure. Évite de donner ton nom de famille. À compter de maintenant, tu es Louis. Seulement Louis. Est-ce que… est-ce que tu comprends, Louis ?

Les yeux bruns d'Abraham se rivèrent à ceux de son fils.

– Je m'appelle Louis, papa. Seulement Louis.

Hannah pénétra dans sa chambre et s'assit au bord du lit.

OCTOBRE, 2

NOVEMBRE, DÉCEMBRE 1940

LOUIS Podski apprit rapidement qu'être juif était une sorte de maladie, indéfinie, invisible, et cependant inavouable. Le soir de la confession paternelle, sous prétexte de lui souhaiter bonne nuit – ce qu'elle ne faisait jamais –, Hannah pénétra dans sa chambre et s'assit au bord du lit. Après maintes tergiversations, elle expliqua à Louis qu'il était circoncis[1]. Abraham n'avait pu se résoudre à supprimer le rite judaïque qui marque l'entrée dans la vie. Mais les non juifs n'étant pas circoncis, Louis devrait éviter de se mettre nu devant d'autres personnes.

---

1. Circoncis, *adj.* : la circoncision est une opération exécutée lors d'un rite religieux juif ou musulman, qui consiste à couper un peu de la peau qui recouvre l'extrémité du sexe du petit garçon.

La révélation de Hannah l'intriguait.

Quelle recommandation ridicule ! Louis ne se déshabillait pas devant le premier venu ! Toutefois, la révélation de Hannah l'intriguait et, plusieurs fois par jour, il s'isolait dans les toilettes, contemplait son sexe. Qu'une si petite chose soit cause de tant d'hostilité déclenchait un rire qui mouillait ses yeux et parfois, la culotte baissée, il traitait son sexe de sale juif.

– Mais maman, les femmes… Alors toi, tu n'es pas juive ?

Hannah avait caressé ses boucles noires, si semblables à celles d'Abraham, puis après l'avoir embrassé sur le front, avait quitté la chambre.

Louis ignorait toujours à quoi se reconnaît une femme juive !

Au Café des Amis, l'ambiance changeait. En ville, au fil des semaines, le nombre des Allemands s'accroissait. Les convois militaires encombraient les rues ; les uniformes, de moins en moins discrets, apparaissaient partout et il n'était pas rare d'en rencontrer au café. Encouragé par Abraham qui pensait que fréquenter les « Français » était souhaitable, dès la fin de l'école, Louis courait reprendre son poste. Monsieur Jean rajouta quelques tables, mais les joueurs de cartes et les soldats ne se mélangeaient pas. De temps à autre, chacun lorgnait le camp adverse, puis, si les regards s'affrontaient, on en revenait à l'indifférence furtive. Trop longtemps disséquée, la défaite de l'armée française n'était plus qu'un sujet de conversation épisodique ; par contre, on parlait beaucoup de la nourriture qui commençait à manquer par la faute de « ces salauds de Boches[1] ». Dès qu'un salaud de Boche pénétrait dans la salle, les dialogues mouraient ou s'engageaient sur des terrains moins scabreux.

On s'intéressa bientôt moins aux estomacs et les juifs prirent le relais. Biélot, percepteur

1. Boche, *n. m.* : terme injurieux qui désignait les Allemands pendant la guerre.

retraité, donna le premier son opinion. Comme d'habitude, après avoir bousculé la table de marbre d'un coup de son énorme ventre de buveur de bière, il avait réclamé la piste de 421, jeu qui l'accaparait en des parties solitaires jusqu'au moment de son départ. Louis prépara la boisson du percepteur. Le Café des Amis retombait dans la torpeur des jours de faible fréquentation lorsque Biélot claironna :

– Pas trop tôt que les Allemands matent enfin les youpins.

Il était tôt. Seuls quatre joueurs de belote se disputaient les jetons de bois coloré.

– Les Allemands font que des conneries, ronchonna Gustave Chaunot, pensionné de guerre qui dilapidait au café ce que l'État lui versait en dédommagement d'une jambe perdue à Verdun[1] .

1. Verdun : ville de l'Est de la France où s'est livrée une bataille contre les Allemands pendant la Première Guerre mondiale (1916), qui fut particulièrement meurtrière et décisive pour l'issue du conflit.

– Cette fois, on y est, j'ai mes renseignements dans les bureaux, pouvez me faire confiance ! Dans les prochains jours, les juifs vont déguster. En zone libre, le Maréchal[1] montre l'exemple !

Afin d'étayer ses thèses, M. Biélot adorait appeler à la rescousse ses prétendues relations de la Fonction publique. Aussi, au Café des Amis, le considérait-on comme une précieuse source d'information.

Les frères Sirmain, jumeaux si absolus que personne ne s'avisait d'employer leur prénom, opinèrent plusieurs fois.

– Il y en a partout de cette sale engeance, dit l'un.

– Oui, sûrement, renchérit l'autre, il y en a partout.

Le dernier joueur, professeur de piano vivotant de leçons, déposa doucement ses cartes

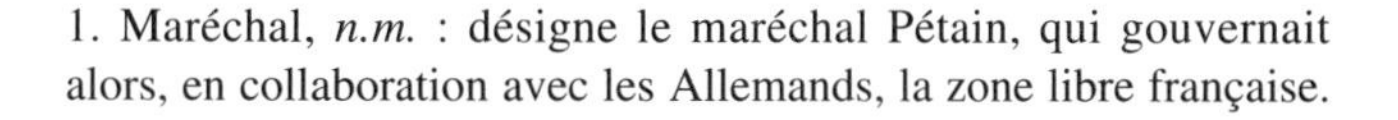

1. Maréchal, *n.m.* : désigne le maréchal Pétain, qui gouvernait alors, en collaboration avec les Allemands, la zone libre française.

au centre du tapis vert. Ses yeux ronds cherchaient le regard de Biélot à travers les épaisses lunettes de myope rafistolées d'un morceau de sparadrap.

– Vous connaissez des juifs ? demanda-t-il, légèrement ironique.

– Non, mais il y en a ! répliqua en chœur le duo.

– Moi j'en connais, et plus d'un, je vous le garantis ! fulmina Biélot. N'oubliez pas que les feuilles d'impôts ont circulé entre mes mains, alors je flaire les youpins de loin. Le Maréchal a bougrement raison de les virer de la Fonction publique.

– Que leur reprochez-vous ? insista le professeur de piano.

Biélot lança si violemment les dés qu'ils s'éparpillèrent sur le carrelage. Son menton dédaigneux s'avança, en proue de navire.

– Ah ! vous, Dorémi, comme tous les intellectuels, vous tolérez n'importe quoi ! Le monde est beau, angélique, et patati, patata, résultat, notre pays écrabouillé par les Boches en dix semaines ! Si nous nous étions débarrassés de tous les salauds, dont les juifs, nous aurions gagné la guerre. Les Boches sont peut-être des brutes, mais des brutes intelligentes !

Le professeur de piano, appelé finement Dorémi, détonnait au milieu de la clientèle habituelle. Ses théories philosophiques agaçaient mais, lorsqu'il était absent, la salle s'engourdissait. Dorémi jouait aux cartes en compagnie de gens dont il ne partageait aucune des opinions. Parfois, lorsque la colère le gagnait, il jetait son jeu au nez de ses partenaires et claquait la porte. Ensuite, il boudait quelques jours mais réapparaissait invariablement sans que l'on sache ce qui l'attirait au Café des Amis. Ce jour-là, il semblait décidé à rester.

Louis ne perdait pas une miette du dialogue. Par-dessus tout, il craignait que monsieur Jean ne l'expédie en course ou dans l'arrière-salle, perpétuel capharnaüm. Il

s'avança, très discrètement, entre la table de belote et celle de Biélot. Il faisait semblant de nettoyer une colonnette de fausse pierre. Malgré la fraîcheur de la salle, Biélot transpirait abondamment. Il lançait les dés, s'essuyait les mains dans un fin mouchoir de batiste[1] qu'il repoussait dans la manche de sa veste. Son large front luisait, des gouttes perlaient entre ses cheveux clairsemés.

Le vocabulaire de Louis s'enrichissait. Juif et youpin.

– Monsieur Biélot, qu'est-ce que c'est un juif ? questionna-t-il, rempli d'espoir.

De ses petites mains potelées, Biélot captura vivement les dés. Ses lèvres charnues se séparèrent. Un large sourire dévoila la dentition parfaite du percepteur.

– Eh ! Loulou veut s'instruire ! Tu as raison, mon gars, on ne repère jamais assez vite cette maudite race.

---

1. Batiste, *n. f.* : toile de lin très fine.

– La ferme, Biélot ! grogna Dorémi. Ayez au moins la pudeur de ne pas entraîner un enfant dans vos élucubrations !

Biélot s'épongea le front.

– Dorémi, sans doute êtes-vous un excellent professeur de piano, mais cela ne vous autorise aucunement à me dicter ma conduite. Fichez-moi donc la paix !

Si près de la vérité, Louis refusa d'abandonner.

– Vous voulez que je fasse une partie, monsieur Biélot ?

Il s'installa sans attendre face au joueur de dés.

– Pourquoi t'intéresses-tu aux juifs ? interrogea Biélot.

– Comme ça, éluda Louis. Comment reconnaît-on un juif ?

– L'argent ! Ils sont très riches, ils transpirent l'argent.

– Tous ?

– Exactement ! Certains dissimulent leur

fortune, mais crois-moi qu'aux impôts je m'appliquais à les pincer ! Voilà pourquoi des gens aussi laids épousent de si belles femmes. L'argent, pardi !

– Il n'y a pas d'autres signes ?

Biélot ricana.

– Si, si mais impossible de t'expliquer. Dorémi m'assassinerait si je te révélais ce détail qui se situe… euh… en dessous de la ceinture.

– Un juif se repère au premier coup d'œil.

– Ah ! la circoncision ! triompha Louis.

Biélot dévisagea Louis avec méfiance.

– Comment sais-tu cela ?

– Euh… à l'école, l'instituteur a expliqué.

– Ah ! bon.

– Et les femmes ? insista Louis. Et quand les hommes ne sont pas tout nus ?

– Leur allure, mon garçon, leur allure ! N'oublie pas qu'un juif se repère au premier coup d'œil.

Louis Podski réprima un frisson.

– Pourquoi détestez-vous les juifs ?

Biélot défia Dorémi du regard, mais le professeur de piano faisait mine de l'ignorer. Alors le percepteur fut saisi d'une violente colère.

– Les juifs pillent la France, ils la livrent pieds et poings liés aux communistes !

– C'est quoi les communistes ?

– Pire que les juifs ! Les youpins sont d'infâmes comploteurs qui ne se plaisent que dans de sordides trahisons. En juin, c'est eux qui ont vaincu la France !

– Les juifs pillent la France...

– Je croyais que c'étaient les Allemands, dit Louis avec perfidie.

– Que dis-tu là ? Es-tu idiot, mon garçon ?

– Mais vous dites que les juifs ont vaincu les Français !

Biélot leva les yeux au ciel ; pour aujourd'hui, Louis Podski n'en apprendrait pas davantage. Madame Jeanne apporta un nouveau verre de bière qu'elle posa brutalement sur la table de marbre.

– Fichez donc la paix au petiot, dit-elle

sèchement. Cette histoire ne concerne que les adultes. D'ailleurs, à vous énerver ainsi, vous vous rendrez malade. Quant à toi, Louis, file dans l'arrière-salle, le travail attend.

Dans les semaines qui suivirent, Louis Podski, juif d'ascendance polonaise, allait collaborer avec les Allemands. Il le ferait malgré lui, obéissant aux ordres de madame Jeanne qui confiait sans cesse de nouveaux menus travaux à son employé serviable et peu exigeant.

À deux cents mètres du Café des Amis, au numéro 27 de la rue du Moulin, la Kommandantur installa une annexe. Une vingtaine d'hommes y occupaient des bureaux exigus. Ils utilisaient une partie de leur temps à discuter et à boire.

Boire. Un jeudi de novembre, encombré d'un énorme panier rempli de bières, de bouteilles de beaujolais et d'apéritifs, Louis poussa la porte du numéro 27. La lourde charge déséquilibrait son long corps maladroit ; il s'empêtrait et s'irritait de ce travail de coursier. Dans une sorte de hall carrelé de tommettes rouges usées, un planton[1] armé surveillait l'escalier menant aux étages ; derrière une table envahie de paperasses, un soldat frappait les touches d'une Underwood noire.

– Bonjour, dit Louis, terriblement excité à l'idée de pénétrer au cœur de l'antre nazi[2] .

Aucun des deux personnages ne daigna réagir.

– Bonjour, cria Louis, j'apporte les boissons !

L'homme à la machine à écrire leva la tête.

– *Maul zu !* (Ferme-la !)

Puis il reprit frénétiquement son travail comme si sa vie dépendait de son ardeur. Il

1. Planton, *n. m.* : soldat de service auprès d'un officier supérieur.

2. Nazi, *n.* et *adj.* : abréviation de National-sozialist, parti dirigeant allemand à la tête duquel se trouvait Hitler. Tout membre du parti est appelé nazi.

en fallait davantage pour décontenancer Louis, qui décida tout simplement d'emprunter l'escalier. À peine posait-il le pied sur la première marche que le planton, jusque-là mannequin de cire, se rua à ses trousses et rugit :

– *Hau ab !* (Fous le camp !)

En signe d'incompréhension, Louis haussa les sourcils et dessina une multitude d'arabesques de la main. Alors l'homme entama un monologue en allemand. D'après la rugosité du ton, il ne disait pas des gentillesses. Maintenant certain que les Allemands ne savaient pas le français, Louis posa son panier au pied de l'escalier, puis, s'accompagnant de force gestes chaleureux et un large sourire illuminant son visage, il expliqua sa présence.

– Pauvres connards d'Allemands, si vous n'avez pas soif, ne nous cassez pas les pieds. Vainqueurs ou non, vos gueules d'empeigne sont aussi tristes que le cul des vaches, mais

profitez-en, parce que bientôt nous vous flanquerons la raclée. Ensuite, bouffeurs de patates de mes fesses, imaginez-vous que…

– Bravo ! Un discours d'une inqualifiable grossièreté, mais qui ne manque ni de tonus ni de caractère !

Penché au-dessus de la rambarde, un Allemand applaudissait mollement. La frayeur tétanisa Louis. Les derniers mots trépassèrent en râle au fond de sa gorge. Sa langue était un buvard. Dans le hall, les deux militaires rectifièrent la position et adoptèrent une attitude de respectueuse attente.

– Montez, jeune homme, ma hâte de goûter le beaujolais du Café des Amis n'est rien à côté du plaisir de faire votre connaissance.

À n'en pas douter, il s'agissait d'un officier. Il s'exprimait dans un français parfait, plein d'une ironie glaciale. Louis aurait désiré que l'escalier monte pendant des kilomètres ; il le gravissait tête baissée, tel un condamné à mort allant à l'échafaud. À chaque marche, les bouteilles s'entrechoquaient et le cliquetis du verre l'humiliait.

Sur le palier, l'Allemand le débarrassa délicatement des boissons et le fit entrer dans un bureau sombre, encombré de classeurs métalliques. Il prit place dans un confortable fauteuil de cuir noir qui occupait à lui seul le tiers de la pièce, puis détailla silencieusement Louis, qui ne savait que faire de ses mains. Enfin il parla :

– Je me présente. Lieutenant Franz Hunger, responsable de l'antenne de quartier de la Kommandantur.

Il marqua une pause et reprit :

– Et malheureusement pour vous, j'ai étudié le français à Paris durant cinq années. À la Sorbonne, plus précisément. Enfin, peu importe…

– C'était pour rire, dit Louis piteusement.

– Tiens donc ! Qui vouliez-vous amuser ? Le planton ? Ou ce pauvre Drexler qui, dans sa propre langue, ne tape pas deux lignes

consécutives sans éborgner trois mots et qui ne sait de votre français que « cholie mademoizelle » ?

– …

– Imaginez que je décrive votre comportement à madame Jeanne et monsieur Jean ?

– Oh ! non ! s'exclama Louis.

Il avait parlé trop vite. Franz Hunger eut une grimace de triomphe.

– Bien ! Admettons que je cache la haute opinion que vous avez des Allemands. Vous conservez donc votre place au Café des Amis…

Louis aurait aimé dire qu'il n'était pas un véritable employé, mais, d'un geste de la main, l'officier imposa le silence.

– Vous êtes certes un enfant, toutefois nul n'est au-dessus de la loi, pas même un enfant de…

– Dix ans, bientôt onze ! dit vivement Louis.

– Et qui se nomme ?

– Louis.

– De dix ans, fort bien. Votre discours injurieux à l'égard des Allemands risque de vous conduire au fond d'un cachot.

Louis devint livide.

Franz Hunger se fit apaisant.

– Vous n'irez pas en prison, puisque je me tairai. Et je me tairai car, à compter d'aujourd'hui, vous travaillez pour l'armée allemande.

Il y eut un silence qui dura l'éternité. L'homme tassa son corps maigre dans le fauteuil et allongea ses jambes sous le bureau. Il nettoyait ostensiblement ses lunettes, mais ses yeux plissés observaient l'enfant avec attention. Louis songea que l'individu était fou à lier. Son exquise politesse, volontairement hypocrite, créait une insupportable tension. À quoi rimait de proposer à un gosse de dix ans de travailler pour l'armée allemande ?

Louis perdait contenance. Que voulait cet homme ? Pourquoi cette amabilité exagérée alors que son regard disait clairement que Louis était un crapaud répugnant ?

Soudain, Franz Hunger ricana :

– Oui, oui, j'imagine que mon idée peut surprendre, mais j'adore surprendre. Donc, je vous offre mon silence en échange de trois tâches précises. Primo, vous poursuivez évidemment votre travail de garçon de café, qui d'ailleurs justifiera aux yeux de vos compatriotes soupçonneux les raisons de votre présence répétée 27 rue du Moulin.

– L'école…, balbutia Louis.

– Je sais. Disons… quand il n'y aura pas d'école, comme aujourd'hui. Le soir. Deuxièmement, une fois par semaine, vous donnerez des cours de français à deux de mes hommes…

Décidément, l'Allemand était cinglé. Comme s'il lisait dans la pensée de Louis, il continua :

– Non, je ne suis pas fou. Je désire que mes hommes apprennent très vite les mots grossiers qui figurent en abondance dans votre langue. D'après ce que j'ai entendu, vous me paraissez être un excellent professeur. En dernier lieu, vous servirez d'intermédiaire entre

certains clients du Café des Amis et cette annexe de la Kommandantur. Je préciserai plus tard cet aspect des choses. Compris ?

Sidéré, Louis bredouilla quelques mots sans queue ni tête.

– Parfait, dit l'Allemand, dans ce cas, déguerpissez ! Je vous attends jeudi prochain à la même heure.

Louis ne se le fit pas dire deux fois. Il dévala l'escalier quatre à quatre. Mais, dans le hall, la voix de Franz Hunger le cloua sur place. Il était à nouveau penché sur la balustrade.

– Votre panier !

Ses doigts s'ouvrirent, le panier s'écrasa aux pieds de Louis.

– N'oubliez pas : un mot de notre conversation à quiconque, et je vous expédie en prison !

Louis comprit très rapidement que Franz Hunger l'utilisait comme agent de renseignements. Les autres tâches n'étaient que prétextes, l'Allemand s'intéressant uniquement aux conversations des clients du Café des Amis. Il fréquentait lui-même le débit de boissons, échangeait quelques mots avec les patrons, mais l'atmosphère se modifiait dès son entrée. Certains clients de passage quittaient la salle. Lors de ses visites rue du Moulin, Louis décrivait les disputes qu'occasionnaient les parties de cartes ou racontait des propos anodins. Malgré la nullité de ces informations, Franz Hunger écoutait et remerciait. Il le vouvoyait, n'employait que des termes choisis, mais son regard brillait d'une lueur d'ironie dédaigneuse. Une fois pour toutes, Louis décréta que l'Allemand était fou, et lorsqu'il portait un panier de boissons, il espérait ne pas rencontrer le lieutenant. D'ailleurs, la fin de l'année 1940 fut si agitée que l'étrangeté de ses visites à l'annexe de la Kommandantur passa au second plan.

Abraham Podski perdit son travail. Ce fut pour une courte durée, une sorte d'aller et retour de yoyo dont Louis ne saisit pas la gravité. Le directeur de la mine se débarrassa des quatre mineurs juifs. Il opéra tranquillement, usant de sa bonhomie naturelle comme d'une excuse.

– Ils détestent les juifs et je n'y peux rien.

– Admettez avec moi que les Allemands sont des gens étranges, déclara-t-il avec un petit rire de connivence. Ils détestent les juifs et je n'y peux rien. Cependant, monsieur Podski, vous êtes un ouvrier compétent et courageux, aussi je ne doute pas que vous retrouviez rapidement un emploi.

– La Kommandantur exige notre licenciement ? avait demandé Abraham.

– Non, non, pas exactement, mais…

Avaient suivi quantité d'explications embrouillées d'où il ressortait que le directeur de la mine préférait se concilier les bonnes grâces de l'occupant. Il avait repoussé Abraham jusque dans le couloir desservant les bureaux :

– La situation est extrêmement délicate, je suis persuadé que vous comprenez ma décision. Bien entendu, la libération de votre logement ne presse pas, demeurez au coron jusqu'en décembre si bon vous semble…

Durant trois semaines, ce fut l'enfer. Hannah pleurait. Abraham se cloîtrait dans le minuscule atelier qu'il avait installé dans l'appentis de bois accolé à la maison. Louis manquait parfois l'école, mais au cours de cette période tout parut s'effilocher et ses parents s'intéressèrent encore moins que d'habitude à sa vie hors du coron. Jusque-là, l'école avait été une obligation sacrée envers laquelle ils ne toléraient aucune défaillance.

Durant trois semaines, ce fut l'enfer.

Puis, fin novembre, Abraham fut convoqué à la mine. Un simple contremaître l'avertit qu'il reprenait son poste. Les trois autres mineurs juifs réintégrèrent aussi la mine. Un camarade de travail dit à Abraham que la Kommandantur avait blâmé le zèle du directeur. Juifs ou pas, l'Allemagne en guerre dévorait des milliers de tonnes de charbon, les mineurs étaient rares et les usines allemandes se contenteraient de la houille qu'extrayaient des mains juives.

La vie reprit son cours ordinaire. En apparence. En fait, l'incident laissa des traces. Au coron, nul n'ignorait maintenant que les Podski étaient juifs. La plupart des habitants changèrent d'attitude, montrant plus ou moins ostensiblement leur antipathie. Le secret, si longtemps conservé, apparut comme une tare supplémentaire. De maison en maison se répandit l'idée que « seuls les morveux se mouchent », ainsi que le déclara sans ambages une voisine.

La vie reprit son cours ordinaire. En apparence.

À la même époque, Louis découvrit les premières pancartes désignant les magasins juifs. Les affiches étaient écrites en français et en allemand : « ENTREPRISES JUIVES. JUDISCHES GESCHÄFT. » Chaque semaine, de nouvelles mentions désignaient de nouveaux coupables. Louis cherchait toujours les raisons de cette culpabilité ; être juif restait sans signification, même s'il se sentait davantage exclu. Inconsciemment, il rendit ses parents responsables de la sourde hostilité qui gagnait le coron et, un soir, alors que Hannah écoutait distraitement sa récitation du lendemain, Louis interrompit « Le Loup et l'Agneau ».

– Pourquoi papa nous a faits juifs ? murmura-t-il.

Hannah ne répondit pas.

– Pourquoi papa nous a faits juifs ?

Au Café des Amis, les opinions divergeaient. La plupart des clients estimaient soit qu'il n'y avait pas de quoi fouetter un chat, soit que les juifs payaient ainsi leur outrecuidance. Madame Jeanne et monsieur Jean n'émettaient jamais d'avis, mais, dans l'arrière-salle, Jeannette Beaujour explosait. Sa respiration se précipitait, son volumineux chignon, miracle d'équilibre, cahotait au-dessus d'un visage rouge d'indignation.

– Les salauds ! Ah ! elle est belle, la France qui hurle avec les loups ! On dirait que les juifs ont assassiné père et mère ! Dreyfus ne leur a donc pas suffi ! Servir à boire à de tels individus m'écœure !

Elle n'expliqua pas qui était Dreyfus.

Une fois – et la tendresse n'était pas le genre de madame Jeanne –, elle serra Louis contre son opulente poitrine.

– Mon petiot, n'écoute pas ces imbéciles et, plus tard, ne sois pas comme eux. Tu es un bon gamin, reste-le !

Son court discours, conclu d'un gros baiser mouillé, laissa Louis ahuri et troublé.

Bientôt, quelques clients l'employèrent comme commissionnaire. Moyennant une ou deux piécettes, Louis transportait de mystérieux paquets entre l'annexe de la Kommandantur et le Café des Amis. Un jour, ne résistant pas à la curiosité, il déchira un coin du papier d'emballage et apprit ainsi d'où Biélot obtenait son tabac et son savon. L'argent qu'il accumulait depuis des mois servit à l'achat d'un pantalon de golf qui remplaça les culottes courtes détestées. Ainsi vêtu, Louis

Podski avait l'allure d'un jeune homme de seize ans ; c'était encore plus frappant quand il mettait une casquette. Abraham Podski fit semblant de ne pas voir la transformation ; quant à Hannah, elle fronça les sourcils, mais Louis précisa qu'il s'agissait d'un cadeau de madame Jeanne et monsieur Jean.

Abraham et Hannah ne connaissaient pas les tenanciers du Café des Amis. Dès que Louis avait gagné les premières piécettes, Hannah Podski avait souhaité rendre visite aux employeurs de son fils.

– Il n'en est pas question ! avait dit Abraham. Il est préférable que ces gens oublient notre existence.

Au cours de ce mois de novembre 1940, Louis Podski gagna son vieux pari. Mais dérober une paire de bottes d'officier allemand fut si facile qu'il n'éprouva pas le plaisir espéré. Au cours d'une de ses escapades près de la rivière, il découvrit un couple qui profitait du soleil exceptionnel de la journée. Sous pré-

texte d'un « pique-nique », l'Allemand caressait la femme. Il avait enlevé ses bottes et sa veste et la femme gloussait si fort que Louis n'eut pas à contrôler le bruit de ses pas. Il prit les bottes et le vêtement mais lança la veste dans la rivière. Quand il fut assez loin, Louis cria :

– Vise tes bottes, mon pote, prise de guerre, dirait Hitler !

Fier de ces vers approximatifs, il ajouta un « Heil Hitler » vengeur et disparut sous les arbres.

Comment la France avait-elle pu perdre la guerre face à de tels nigauds ?

Le 5 décembre, Louis Podski eut onze ans. Mais s'il se souvint de cette journée-là, ce fut pour un tout autre motif. Au matin, Hannah entra dans la chambre dont elle n'ouvrit pas les volets. Au contraire, elle demeura dans le coin le plus obscur et le plus éloigné du lit.

– Tu n'iras pas à l'école, tu m'accompagnes à la Kommandantur.

– Pourquoi ?

Louis détestait ce genre de réveil et il avait d'autres projets pour la matinée. Malgré le froid, il repoussa les couvertures, s'étira en bâillant. Son pyjama de coton bleu, usé et tournebouchonné, remonta jusqu'aux genoux. La veste s'ouvrit, découvrant sa poitrine d'adolescent grandi trop vite. Aux premières heures de la journée, Louis ressemblait à un oisillon d'une couvée ratée.

– Nous allons être recensés, dit Hannah.

– C'est quoi, « recenser » ?

– Compter. Savoir qui nous sommes, où nous habitons, quel est notre travail. Beaucoup de renseignements de ce genre.

Louis replongea sous les couvertures.

– Demande à Mme Cestoka ou à une autre voisine, je préfère encore l'école.

– Mme Cestoka n'est pas… n'est pas juive.

Louis se raidit.

Du fond du lit, sa voix étouffée chancela.

– Parce qu'ils ne recensent que les juifs ?

– Oui, oui... depuis plus d'un mois déjà, nous aurions dû nous présenter au commissariat de police et maintenant la Kommandantur nous convoque. Je t'en prie, Louis, sors la tête de ces couvertures.

Il se força à une immobilité encore plus grande. Sans voir sa mère, il percevait son angoisse ; il l'attribua à sa crainte des démarches administratives. Elle s'exprimait en bon français, mais son accent trahissait son origine polonaise. Elle redoutait de s'embrouiller.

Lorsqu'ils quittèrent le coron, ce fut comme si on les désignait du doigt. Louis eut l'impression d'être le point de mire d'un quartier qui les chassait, lui et sa mère.

La Kommandantur grouillait d'une activité délirante. Les portes claquaient, les militaires couraient dans les couloirs. Ils attendirent longtemps debout, dans une minuscule pièce,

Lorsqu'ils quittèrent le coron, ce fut comme si on les désignait du doigt.

ancienne lingerie du Palace Hôtel. Une étagère de bois blanc conservait les inscriptions imprimées au pochoir – taies d'oreiller, draps, couvertures piquées – et Louis, par désœuvrement, en gratta une partie. Enfin, une femme rondouillarde vint les chercher et les introduisit dans un bureau marqué de l'affichette « Affaires juives ». Un homme grand, au visage maigre, qui portait avec affectation un impeccable costume marron, désigna deux chaises et dit :

– C'est pour quoi ?

Hannah était très pâle. Elle dissimulait le tremblement de ses mains dans les plis de son manteau gris.

– Le recensement…

L'homme haussa les sourcils.

– Le recensement ?

– Le recensement… des juifs.

– Ah ! je vois. Vous auriez dû remplir cette formalité depuis un mois au commissariat de votre quartier. Vous me donnez du travail supplémentaire, ce dont je me passerais volontiers !

L'homme était sans doute un employé français car il parlait rapidement, avec un léger roulement des « r ». Il prit un questionnaire de plusieurs feuillets et commença à le remplir avec l'application d'un écolier. Hannah répondait craintivement aux questions les plus anodines. De temps à autre, l'homme séchait l'encre avec un buvard, puis il admirait sa calligraphie.

Louis s'ennuyait. Il rêvassait, songeait à Dorémi qui, depuis quelques jours, promettait de lui apprendre le piano.

– Nom, prénom !

Louis sursauta.

– Podski Louis.

– Âge ?

– Onze ans.

L'employé releva la tête et inspecta soupçonneusement Louis.

– Onze ans ?

– Oui, depuis aujourd'hui.

– Nationalité ?

– Française.

– Voyez-vous ça ! Podski, français ! Enfin… Religion ?

– …

– Tu es juif ?

Hannah, dont le visage se décolorait encore, intervint.

– Vous le savez bien…

– La ferme ! hurla l'homme. C'est votre fils que je désire entendre !

– Non… non…, bégaya Louis.

– Non quoi ?

– Non, je ne suis pas juif.

La peur broyait le ventre de Louis.

Pourquoi Hannah acceptait-elle qu'un inconnu la traite comme un chien ? Pourquoi, au lieu de le gifler, se ratatinait-elle au point que le manteau semblait flotter sur un corps sans chair ? Louis tenta de faire le vide dans sa tête pour suivre les conseils d'Abraham.

Ne rien avouer. Surtout, ne rien avouer.

– Tu te fous de moi ? rugit l'employé. C'est un comble ! Décidément, les youpins ont tous les culots !

– Non, non, dit Louis très vite, mais je ne suis pas juif.

L'homme repoussa la paperasse qui encombrait le bureau. Il soupira bruyamment, se tourna vers Hannah dont le regard suppliait Louis.

– Votre fils est idiot ?

Il n'attendit pas la réponse, reporta son attention sur Louis.

– Ton père est juif ?

– Je ne sais pas.

– Ta mère est juive ?

– Je… je ne sais pas.

– Tu me prends pour un imbécile ?

L'homme vociférait. La résistance passive de l'enfant le rendait fou. Soudain, il se pencha sur Hannah, jusqu'à frôler son oreille, et sa voix devint un murmure à peine audible.

– Mon Dieu, quel cirque ! Il a fallu que je tombe sur des dingues. Des juifs dingues. Madame Podski, si vous ne parlez pas à votre fils, j'emploie les grands moyens.

Une larme roula sous les paupières de Hannah. Elle était maintenant une souris éperdue que la terreur pétrifie. Louis imagina que l'individu allait exiger qu'il se déshabille. Oh ! oui, il le ferait. Il se vit nu, à côté de sa mère. Alors apparaîtrait la marque qui le désignait comme juif. Il serra les cuisses et sentit qu'il mouillait un peu son caleçon.

– Oui, je suis juif.

– Eh bien voilà ! triompha l'homme. Il t'en a fallu du temps, tu mériterais une bonne paire de gifles. Allez, répète-moi ça plus fort.

– Je suis juif, dit Louis.

– Bravo ! Encore une fois !

Louis dut le dire à quatre reprises.

Durant le trajet du retour, ils n'échangèrent pas un mot.

Jusqu'à ce qu'en février 1943 il trouve la mort devant Stalingrad[1] , le lieutenant Franz Hunger s'interrogerait sur la paire de bottes allemandes marquées à la peinture blanche des mots « sales Boches », déposées devant la porte du 27 de la rue du Moulin un certain jour de décembre 1940.

1. Stalingrad (Volgograd) : ville située en Russie. Victoire décisive remportée par les Soviétiques sur l'armée allemande. Elle marque le tournant de la guerre sur le front russe.

Hannah Podski
chantait
d'une voix
mélancolique
tout en reprisant
des chaussettes.

1941 3

Quand nous en serons au temps des cerises
Les gais rossignols, les merles moqueurs
Seront tous en fête.
Les belles auront la folie en tête
Et les amoureux du soleil au cœur.
Quand nous en serons au temps des cerises
Sifflera bien mieux le merle moqueur.

HANNAH Podski chantait d'une voix mélancolique tout en reprisant les chaussettes dépareillées qui débordaient de la corbeille à linge. Elle travaillait vite. Ses doigts fins lissaient le coton sur l'œuf de bois et, aussitôt, l'aiguille entamait sa course folle.

Assis à même le linoléum de la cuisine, Louis étudiait sa leçon de géographie. En fait, il écoutait Hannah. Malgré l'heure tardive, sa mère n'avait pas encore soupé : elle attendait Abraham qui ne quittait la mine qu'à vingt-deux heures.

Hannah avait le visage fatigué des gens soucieux qui dorment mal. La chiche lumière que diffusait l'unique ampoule de la cuisine l'obligeait à écarquiller les yeux et, malgré son habileté, elle s'était piquée plusieurs fois. Cette maladresse inaccoutumée l'irritait. Elle considérait la gouttelette pourpre et l'aspirait d'un coup de langue presque gourmand. Elle ravaudait sans s'accorder de repos. La chanson terminée, elle reprenait inlassablement le dernier couplet qui exerçait sur elle une réelle fascination.

– C'est une chanson d'amour et de liberté.

Dorémi donnait régulièrement des leçons de piano à Louis ; dès le début, ils avaient répété *Le Temps des cerises,* puis Dorémi avait chanté le texte. Ils le travaillaient souvent. Une mélopée triste, une blessure, dont Dorémi aurait entretenu la douleur.

– C'est une chanson d'amour et de liberté, disait-il sans davantage d'explications.

Si Louis ne comprenait pas toute la force de l'affirmation, du moins ressentait-il la puissance de l'affectivité qui unissait Dorémi au *Temps des cerises.* Dès qu'il amorçait le premier couplet, le tempo du piano s'alanguissait, la voix s'altérait. Elle paraissait craindre les mots. *Le Temps des cerises* était une prière païenne. La mansarde qu'occupait Dorémi s'emplissait d'une émotion fragile. Louis avait envie de consoler son professeur de piano, mais il ignorait les raisons de sa peine et, d'ailleurs, la dernière note à peine envolée, il renvoyait l'enfant.

Hannah s'était entichée du Temps des cerises.

Par une sorte d'incroyable communion, Hannah s'était entichée du *Temps des cerises,* qu'elle chantonnait sans cesse, avec dans la voix les mêmes accents brisés que Dorémi. Comme pour excuser son entêtement, elle avait dit :

– Quel merveilleux chant d'espoir ! Ce monsieur… Dorémi doit être très sympathique, j'aimerais le connaître.

Bien sûr, Louis avait proposé une rencontre mais, effrayée, Hannah s'était retranchée derrière un nombre incalculable de mauvaises raisons. Louis avait eu le pressentiment qu'elle redoutait une déception. En tout cas, pour une fois, elle avait failli violer les interdictions d'Abraham qui exigeait que « Louis fasse son trou avec les " Français " » et affirmait que, moins ceux-ci les rencontreraient, eux, ses parents, mieux leur fils se porterait.

J'aimerai toujours le temps des cerises.
C'est de ce temps-là que je garde au cœur
Une plaie ouverte.
Et dame fortune en m'étant offerte
Ne pourra jamais calmer ma douleur.
J'aimerai toujours le temps des cerises
Et le souvenir que je garde au cœur.

Le dernier mot mourut dans la cuisine soudain froide et désagréablement silencieuse.

– Louis, il est temps d'aller au lit. Abraham revient, nous soupons et allons au lit à notre tour.

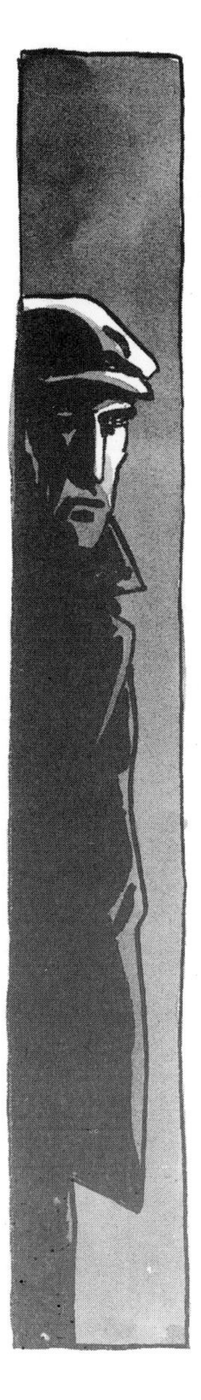

Souper ! Louis fit une grimace. L'infâme bouillie composée des restes accumulés, vaguement gratinés, ne méritait pas le nom de souper. Toutefois, les Houillères allouant de grands jardins, les mineurs souffraient moins des mesures de rationnement, même si les mois d'hiver restaient pénibles.

Louis ne protesta pas. Il gagna sa chambre sans embrasser Hannah ni même dire bonsoir. Délibérément, il laissa la porte de la cuisine entrouverte. Depuis quelque temps, il espionnait les conversations de ses parents.

Abraham avançait tête baissée ; la bise glaciale qui s'engouffrait dans la rue emportait des escarbilles de charbon qu'elle plantait méchamment dans la peau du visage. Malgré la nuit, l'ombre massive du terril[1] proche dessinait son cône familier. Abraham monologuait en polonais. Il avait toujours eu ce tic, en homme taciturne qui doute de l'humanité.

---

1. Terril, *n. m.* : colline formée par les déblais d'une mine.

Cependant, le défaut s'exagérait, il soliloquait maintenant devant ses collègues de travail ou dans les magasins. Souvent, seules ses lèvres bougeaient ; un hochement de tête concluait les pensées positives, une grimace soulignait les incertitudes.

Abraham marchait vite. Il rasait les murs, afin de se protéger du froid. Il faillit heurter la tête de Mme Arnaud, petite femme boulotte qui tentait vainement de fermer des volets que la violence du vent plaquait contre la maison.

– Excusez-moi, madame Arnaud, dit Abraham, l'obscurité... Attendez, je vous aide.

Il repoussa les lourds vantaux de bois épais. La femme se rejeta en arrière, sans dire un mot.

– Bonsoir, madame Arnaud !

Le claquement de l'espagnolette répondit au salut. Abraham haussa les épaules et lança une injure en polonais, entre ses dents serrées. Il oublia aussitôt l'attitude inamicale de sa voisine. Hannah l'attendait. Son visage fatigué s'apaisa.

Il ouvrit lentement la porte du couloir de sa maison. Chaque jour, à la sortie du travail, c'était un rite par lequel il se réappropriait sa vie. Abraham aperçut la lumière qui filtrait de la cuisine, il pénétra dans la pièce, laissa la porte entrouverte. Il savait que Louis écoutait et, ce soir, il avait tant de choses à dire qui le concernaient. La porte ouverte était si pratique…

Il savait que Louis écoutait.

Il n'embrassa pas Hannah. Il ne le faisait jamais. Une pudeur installée dès les premiers jours de leur mariage, là-bas, à Piotrkow. Pourtant, les yeux de Hannah disaient « je suis heureuse que tu sois là, à l'abri, dans notre maison » et ceux d'Abraham répondaient « je t'aime ».

– La journée s'est déroulée normalement ? interrogea Hannah.

Abraham prit place à la table, mais il repoussa son couvert. Malgré dix heures de travail au fond de la mine, il n'avait pas faim. Il tenait ses deux poings joints et serrés devant sa bouche.

– Ils sont fous, tous fous !

Le front de Hannah se craquela de rides. Elle abandonna la casserole sur la cuisinière, s'essuya les mains avec le tablier à carreaux et s'assit à côté de son mari. Elle n'était plus qu'un corps tendu.

– Ils sont capables de nous tuer tous, reprit Abraham. Les nazis nous haïssent davantage que les Polonais de Piotrkow et les Français leur emboîtent le pas.

– Mais tu as ton travail à la mine, objecta Hannah.

– Mon travail ! Parlons-en ! Ils me tolèrent parce que je suis indispensable ! Les Allemands exigent toujours davantage de charbon, et à mon poste je suis irremplaçable. Le directeur rêve de me flanquer à la porte et je conserve mon emploi… grâce à la protection des nazis ! Hannah, les juifs sont fichus ! Ici aussi !

Durant une ou deux minutes, ils n'échangèrent pas un mot. On aurait dit un couple priant avant le repas. Puis Hannah murmura, comme si elle achevait une réflexion :

– Louis affirme qu'à l'école son nouvel instituteur ne l'aime pas.

– Dans ce pays, la haine grandit à toute vitesse. Il y a dix ans, en choisissant la France, nous espérions la liberté. Bon Dieu, mais que reprochent-ils aux juifs ?

Abraham cherchait une réponse dans les yeux de Hannah. Il n'y découvrit que l'ombre de la peur.

– Nous ne sommes même plus juifs, nous ne sommes même plus polonais, nous ne sommes même pas français, nous ne sommes rien. On a tout abandonné en échange de la paix et nous n'aurons pas la paix. Chaque jour ils nous humilient davantage.

Hannah prit les mains de son mari entre les siennes. Le tic-tac de la pendulette accrochée au-dessus de la porte rythmait les pulsations de leur cœur chaviré.

– On raconte que les rafles se multiplient, dit Abraham. Les juifs arrêtés disparaissent et nul ne les revoit jamais. Nous devons protéger Louis.

– Mais que faire ?

– Nous devons protéger Louis.

– À la mine, je ne peux compter sur personne. Je n'ai aucun ami et aujourd'hui, je le regrette. J'ai quand même réussi à me procurer un faux certificat de baptême.

Abraham hésita, une légère rougeur étoila ses pommettes. Il parla en polonais.

– J'ai songé à ce monsieur… je ne connais pas son nom… il donne des leçons de piano à Louis…

– *Le Temps des cerises,* dit Hannah, ah ! oui, *Le Temps des cerises…* M. Dorémi. Mon Dieu, où allons-nous ?

– Oui, voilà ! Nous… nous le rencontrerons, il le faut. Il semble aimer beaucoup Louis… En cas de danger, nous… je demanderai son aide. Il n'existe pas d'autre solution.

Hannah éteignit la lumière. Leur estomac refusait la nourriture. Ils regagnèrent leur chambre dans l'obscurité. Étendus côte à côte, ils poursuivirent la conversation en polonais jusque tard dans la nuit. L'horloge de l'église Saint-Jacques sonna deux heures.

– Dors, sinon tu seras épuisé demain, murmura Hannah.

– Oui, tu as raison. Si nous sortons indemnes de ce cauchemar, après la guerre nous nous installerons aux États-Unis. Je n'accepterai pas de croiser le directeur de la mine, Mme Arnaud, les autres… Bonne nuit, Hannah.

Jamais Abraham ne souhaitait bonne nuit à sa femme.

À compter de ce jour, la famille Podski connut la peur. Si Louis ignorait toujours ce que signifiait être juif, très vite il accola au mot la notion de danger. Plus les périls se

précisaient, plus Louis Podski admettait être juif. On lui assenait de plus en plus souvent ce qualificatif comme une injure terrible. Il imaginait volontiers qu'une marque infamante, visible de tous sauf de lui-même, le désignait à la vindicte des autres. Sinon, comment auraient-ils su ? Alors, il s'inspectait dans la glace, s'étonnait de ne rien découvrir, mais saluait son image d'un « bonjour, sale juif » qui lui donnait le frisson.

À l'école, son nouvel instituteur l'avait convoqué discrètement dans la classe durant une récréation.

– Ton père travaille à la mine ?

– Oui, monsieur.

– Tu es polonais ?

– Non, monsieur, je suis français.

M. Labris avait pincé ses lèvres minces que surmontait un soupçon de moustache noire.

– Ouais, évidemment ! Le prénom de ton père est Abraham ?

Louis avait hésité.

– Non… non, Lucien.

Antoine Labris avait paru dépité. Il s'était absenté, mais très vite était revenu en brandissant un dossier.

– Pourquoi cette histoire à dormir debout ? Les fiches remplies par tes parents indiquent: Abraham Podski, Hannah Podski, nationalité polonaise, originaires de Piotrkow, Pologne.

Il avait jeté brutalement le dossier au milieu des craies et des chiffons sales. Il parlait aussi fort que s'il s'adressait aux quarante élèves de sa classe.

– Bon, tu es juif, la question est close ! D'ailleurs, ça m'est égal, mais pourquoi ne pas le dire ?

Ensuite, Louis constata que, lorsqu'ils le croisaient dans les couloirs, les autres instituteurs le détaillaient d'une manière appuyée.

Au cours d'une récréation, Louis dut se bagarrer. Le fils de Labris, élève de la classe supérieure, le traita de juif puant. D'un seul coup de poing, Louis écrabouilla son gros nez boutonneux et une cascade de sang macula son tablier bleu. Pour punition, Labris donna une rédaction supplémentaire à son fils, mais devant la classe assemblée, il dit d'une voix mielleuse :

– Mes enfants, il est inadmissible d'insulter un juif. Je le tolérerai d'autant moins que Louis est notre meilleur élève.

Ainsi, l'école primaire entière apprit que Louis Podski était juif. Dans l'ensemble, la révélation ne passionna pas les écoliers.

Un peu plus tard, la situation se tendit. Élève brillant, Louis participait à chaque initiative de M. Labris.

– Qui connaît entièrement une chanson et accepterait de l'apprendre aux autres ?

– Moi, monsieur !

Louis s'installa derrière le guide-chant. Un silence respectueux plana dans la salle de classe. Louis pianota quelques notes, prit sa respiration et se lança.

– Mes enfants, il est inadmissible d'insulter un juif.

Quand nous en serons au temps des cerises,
Les gais rossignols, les merles moqueurs
Seront tous en fête.
Les belles auront la folie en tête
Et les amoureux du soleil au cœur.
Quand nous en serons au temps des cerises,
Sifflera bien mieux le merle moqueur.

Les enfants écoutaient la mélodie exécutée d'une façon parfaite. Ils oubliaient le souffle rauque du guide-chant.

J'aimerai toujours le temps des cerises.
C'est de ce temps-là que je garde au cœur
Une plaie ouverte.
Et dame fortune, en m'étant offerte
Ne pourra jamais calmer ma douleur.
J'aimerai toujours le temps des cerises
Et le souvenir que je garde au cœur.

Louis rabattit le couvercle de l'appareil. Il riait de bonheur.

– Je rêve, rugit Labris, un chant communiste dans ma classe ! Ainsi tes parents sont des juifs communistes ?

« A troublé la vie scolaire par sa conduite inqualifiable. » Louis Podski fut renvoyé deux jours. Il apprit du même coup que ses parents étaient des juifs communistes, que *Le Temps des cerises,* propagande communiste, conduisait ses interprètes en prison. Son vocabulaire s'enrichit d'un nouveau point d'interrogation. Communiste ?

Communiste ?

Dans l'« atelier », Abraham Podski aménagea une minuscule cache dans laquelle Louis pénétrait à quatre pattes. Il s'agissait d'une sorte de niche dissimulée sous un amas de chutes de bois. Une gymnastique compliquée permettait de se glisser dans le trou – quand l'échafaudage résistait – et là, dans une immobilité totale, Louis tiendrait deux ou trois heures s'il se contentait d'à peine respirer.

– Si les Allemands ou la police française viennent à la maison, tu t'enfermes ici, exigea Abraham.

– Et vous ?

– Nous nous débrouillerons. Jure que tu obéiras !

– Fuyez si la police pénètre dans le coron.

Louis jura, mais se promit de ne jamais accomplir un acte aussi stupide. Si la police arrêtait ses parents, il tuerait les policiers. En aucun cas, telle une poule mouillée, il ne se réfugierait dans le ridicule trou à rats d'Abraham. D'ailleurs, un bon coup de pied détruirait l'abri.

Louis écoutait d'une oreille distraite les conseils insensés que Hannah et Abraham rabâchaient chaque jour. Ils parlaient comme si le monde s'enflammait sous leurs yeux, comme si une effroyable menace guettait les juifs. Cependant, le monstre qui dévorerait les juifs demeurait si abstrait qu'il était difficile de le prendre au sérieux.

– Fuyez si la police pénètre dans le coron.

Cachez-vous. Si on frappe, ne répondez pas !

Chaque fois qu'il partait au travail, Abraham disait la même chose et Louis devinait sa réticence à quitter la maison. Louis Podski jugeait cette peur exagérée. Ses parents voyaient la police partout. Louis ne constatait rien d'extraordinaire. Dans la rue, aucun des policiers qu'il côtoyait ne l'examinait avec malveillance. Certes, au Café des Amis, à l'école, à la TSF[1] même, les juifs étaient victimes de plaisanteries, d'accusations, d'humiliations, mais aucun événement particulier ne troublait le rythme ordinaire des jours.

Ah ! si, peut-être. Hannah rencontra Dorémi. Louis n'assista pas à l'entrevue, mais depuis, Abraham ajoutait à sa liste un conseil supplémentaire.

– En cas d'ennuis avec la police, va chez ce monsieur Dorémi.

---

1. TSF, *n. f.* : abréviation de Télégraphie Sans Fil ; radiodiffusion, autrefois, poste de radio.

Louis avait accepté l'étrange recommandations et poursuivait sa double existence ponctuée de courses entre le Café des Amis et le coron. Il s'enrichissait. À ses tâches ordinaires de garçon de café, de commissionnaire, il ajouta celle de boucher. L'alimentation était un sujet de discussion passionnée et bientôt elle devint, semble-t-il, l'unique préoccupation des clients. Tout manquait. Entre deux lancers de dés, Biélot pestait contre les affameurs. Les frères Sirmain hurlaient famine. La nourriture les obsédait tellement qu'en en parlant, ils oubliaient de répéter ce que l'autre disait. Tout le monde se plaignait, même Dorémi (il faisait semblant de ne pas connaître davantage Louis que les autres).

Madame Jeanne et monsieur Jean se taisaient. Usant de petits trafics avec la clientèle allemande, ils ne souffraient guère du rationnement.

Que donnaient-ils en échange des conserves, du café, du sucre, d'autres produits encore que Louis découvrait parfois dans l'arrière-cuisine ?

Un jour, Louis vendit un pigeon à Biélot. Il l'avait abattu d'un jet de lance-pierres, alors que la bestiole s'abritait sous l'ours de bronze du square Thiers. Biélot apprécia la chair de pigeon de square, en commanda un second et la nouvelle se répandit chez les habitués du Café des Amis.

Louis, promu boucher, se mit au travail. Hélas, d'autres que lui prisaient la chair coriace des pigeons qui salissaient les monuments publics et, bientôt, il n'en exista plus un seul. Alors, Louis partit en chasse dans la campagne, appâtant les corbeaux, les pies, les geais, qu'il tuait à coups de billes d'acier. Durant toute l'année 1941, le Café des Amis se régala de corbeaux. On vantait les mérites du gamin. Nul ne s'étonnait d'une telle profusion de pigeons dans une ville où l'on n'en voyait plus voler.

Louis Podski gagnait beaucoup d'argent. Il ne savait qu'en faire. Lorsque Hannah se plai-

gnait de ses difficultés financières, il voulait déterrer la boîte de fer qui contenait le pactole. Cependant, jamais ses parents n'admettraient la banale vérité. Ils imagineraient des trafics crapuleux. Des vols. Pire peut-être. D'autre part, Abraham ne tolérerait pas qu'on vendît du corbeau à la place de pigeon.

Durant plusieurs mois, Louis ignora donc la réalité des dangers qui menaçaient les juifs. Mais, le 15 mai 1941, les craintes d'Abraham et de Hannah cessèrent d'être des inquiétudes de parents protecteurs. Ce jour-là, Biélot entra en coup de vent au Café des Amis. Il s'accouda au comptoir, commanda son habituelle bière, claironna :

– Avez-vous entendu la TSF ? J'avais dit qu'ils s'occuperaient d'eux ! Il a fallu le temps, mais cette fois, la machine est déclenchée !

Il but son verre d'une traite, tourna les talons, sans doute pressé de colporter la nouvelle que la ville entière connaissait. Elle s'étalait à la première page du journal.

« Hier, 14 mai 1941, la police française a arrêté près de 4000 juifs dans l'agglomération parisienne. Il s'agit en particulier de Polonais et de Tchèques, expédiés dans les camps de Pithiviers et de Beaune-la-Rolande. »

En août 1941, un fonctionnaire municipal se présenta au domicile de la famille Podski sous le nom d'Eugène Brigoude. C'était un petit homme sec, vêtu d'un costume sombre et coiffé d'un béret trop grand. Il déclina poliment son identité, ses fonctions, puis annonça sans ambages le but de sa visite.

– Je suis chargé de récupérer votre poste de TSF et votre bicyclette. Les juifs n'ont plus l'autorisation de posséder aucun de ces objets. Sachez que cette décision m'écœure, que j'ai honte d'accomplir ce travail. Puissiez-vous me pardonner.

Abraham Podski et Hannah ne parlementèrent pas. La presse s'étant fait l'écho de cette décision inique, ils s'étonnaient seulement qu'elle soit appliquée par un fonctionnaire poli et honteux, alors qu'ils attendaient la visite de la police. D'ailleurs, les Podski réagissaient de moins en moins, comme si la puissance machiavélique qui poursuivait les juifs était invincible.

L'injustice révolta Louis.

L'injustice révolta Louis. Il blâma le fatalisme de ses parents. On volait sa famille sans raison. Pourquoi ne prenait-on rien aux autres habitants du coron ? Pourquoi la bicyclette, si pratique ? Demain, pourquoi ne leur volerait-on pas leurs meubles, leurs habits, leur maison ? L'absurde devenait possible et pourtant ses parents toléraient les rapines d'Eugène Brigoude avec la soumission du chien battu.

Louis Podski courut jusqu'à l'homme qui chargeait l'appareil de TSF dans la camionnette garée devant la porte.

– Plus tard, dit-il d'une voix blanche, je vous tuerai. Vous êtes un sale voleur, je déteste les sales voleurs !

Puis, certain qu'Abraham ou Hannah présenteraient des excuses, Louis s'enfuit. La bicyclette au cadre bleu, au porte-bagages de bois qu'avait bricolé son père afin de le promener lorsqu'il était bébé, hantait ses pensées. Il se souvenait de la minutie avec laquelle Abraham entretenait l'engin, le rituel du dimanche matin entre l'homme et la machine, le chiffon qui briquait l'acier luisant, et lui, derrière la porte de l'atelier, qui entendait son père parler à la bicyclette.

Louis eut deux étranges réactions. Il s'enferma dans les toilettes de la place Champollion, baissa son pantalon de golf et, à mi-voix, injuria plusieurs fois son sexe circoncis. Ce jour-là une graine de haine, minuscule encore, germa, tel un cancer naissant. La douleur était insupportable, car il n'existait pas de réel responsable sur qui déverser sa rancœur. Tuer Eugène Brigoude ne résoudrait rien.

Ensuite, Louis songea que Franz Hunger

aiderait le coursier qui, depuis des mois, faisait la navette entre le Café des Amis et l'annexe de la Kommandantur. Certes, les réactions de l'Allemand étaient imprévisibles, mais cela valait la peine d'essayer. Abraham récupérerait peut-être sa bicyclette.

Le planton accueillit Louis d'un clin d'œil amical. Au 27 de la rue du Moulin, l'adolescent était devenu un familier que le personnel saluait généralement d'un « bonjour, Petit Louis » moqueur. La vingtaine d'employés parlait un français approximatif, agrémenté de quelques mots d'argot et de grossièretés, fruit des leçons de « Petit Louis ».

– Le lieutenant est occupé, dit le soldat.

Louis inventa un message urgent à délivrer. Des révélations. Des complots à dénoncer. Il obtint satisfaction.

Hélas, depuis quelques jours, Franz Hunger était de méchante humeur. À l'évidence, les services de la rue du Moulin étant inutiles, les supérieurs du lieutenant avaient programmé la disparition des bureaux de la Kommandantur annexe.

– Que faites-vous ici ? demanda-t-il sans aménité.

Louis ne s'habituait pas au vouvoiement ironique du lieutenant.

– Des gens ont volé notre bicyclette et notre poste de TSF, dit-il, violemment indigné.

– Volé ?

Il expliqua le « vol ». Alors Franz Hunger éclata d'un énorme rire qui agita sa longue carcasse. Des larmes glissèrent sous ses lunettes. Il les retira ; Louis vit deux yeux d'un vert sombre, presque noir. Il était stupéfait : jamais l'Allemand ne se départait d'une politesse glacée et sarcastique et, lors de ses rares périodes d'amabilité, il dévoilait peu ses sentiments. Éternellement en représentation, il jouait le rôle de l'occupant affairé et dominateur.

– Ainsi, tu es juif ! dit-il brusquement. C'est trop drôle !

Le tutoiement, plus que l'appellation,

désarçonna Louis. Peu à peu cependant, il réalisa que Franz Hunger avait employé le mot. Un élancement fulgurant brûla ses intestins. Il se força à parler.

– Non… Pourquoi dites-vous ça ?

Hunger quitta son fauteuil et contourna le bureau.

– Décidément, tu es plus sot que je l'imaginais, mais maintenant que je sais, ta stupidité ne me surprend guère. Seuls les juifs restituent bicyclette et TSF, objets qu'ils détiennent injustement. Un juif ne mérite pas une bicyclette et la police française a raison de récupérer des biens qui manquent cruellement à la population. Quant à la TSF, les juifs ne l'utilisent que pour écouter les émissions anglaises et ce traître de De Gaulle ! Et toi, imbécile, qui te plains à la Kommandantur !

Son rire reprit, mais l'Allemand ouvrit la porte du bureau et hurla.

– *Otto, komm !*

Aussitôt, un très jeune homme déboula dans la pièce. Hunger s'exprima en allemand.

– *Der kleine Louis... unser treuer Laufbursche, unser Verbindungs-und Gewährsmann ist ein Jude ! Du prahltest, sie im ersten Augenblick zu erkennen... Meine herzlichen Glückwünsche !*[1]

Le dialogue se poursuivit, entrecoupé de rires. Louis, honteux, ne sachant que faire de ses bras ballants, demeurait debout près du bureau. Enfin, le dénommé Otto quitta la pièce.

– Louis le petit juif va filer d'ici en vitesse, dit Franz Hunger. Ah ! auparavant, moi aussi j'ai une requête à formuler. Tu connais M. Grosjean ?

– Non.

– Juif et menteur, évidemment ! Le professeur de piano qui joue aux cartes au Café des Amis... Dorémi...

---

1. (Le petit Louis... notre fidèle commissionnaire, notre agent de liaison et de renseignements est un juif ! Tu te vantais de les repérer au premier coup d'œil... mes félicitations !)

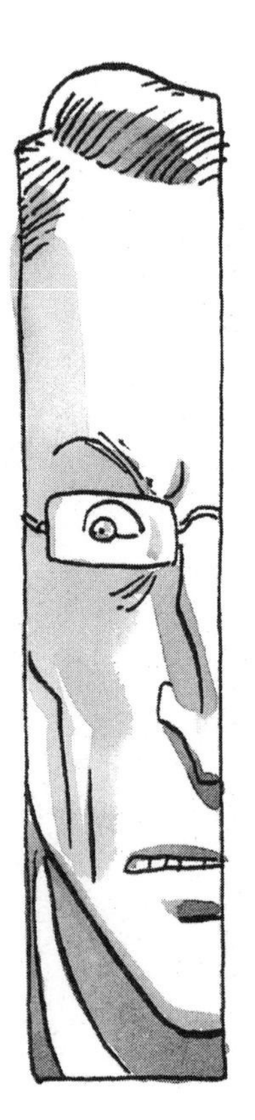

Un frisson se coula sous la chemise de Louis. Il se composa un visage stupide mais Franz Hunger se mit en colère.

– Cesse de faire l'idiot, tu ne réussis d'ailleurs que lorsque tu l'es naturellement ! Mais oui, tu le connais, très bien même, puisqu'il te donne des leçons de piano !

Le lieutenant ricana.

– Eh oui, je sais beaucoup de choses ! Pas assez cependant. Je te propose un marché : surveille ce monsieur Dorémi, écoute ses conversations, repère ses amis. Dans une semaine ou deux, tu me racontes tes observations, en échange, tes parents récupèrent leur bicyclette et leur TSF. N'est-ce pas un splendide cadeau ?

Louis hocha vaguement la tête. Soudain, l'Allemand abandonna le ton sarcastique qui était généralement le sien, sa voix se fit conciliante et une étonnante métamorphose arrondit les traits anguleux de son visage.

– Tu joues correctement du piano ?

– Un peu.

– Suis-moi ! Dans la pièce voisine, il y a un piano, tu me joueras un morceau. Quelle chance tu as de pratiquer le piano, la musique est l'âme de l'homme !

Louis se laissa conduire. Il prit place derrière un vieux piano aux touches jaunies. Instinctivement, il joua les premières notes du *Temps des cerises,* puis ses mains s'immobilisèrent quelques secondes au-dessus du clavier et il enchaîna sur *Au clair de la lune.*

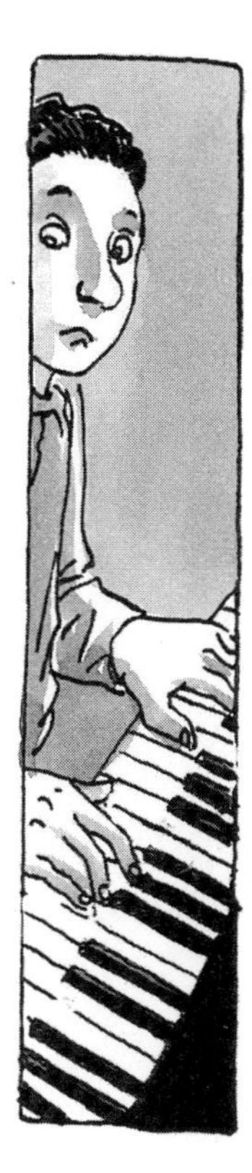

Lorsque Louis Podski pénétra dans l'arrière-salle du Café des Amis, il s'empêtra dans les valises qui encombraient le passage. Il voulut récupérer son équilibre, s'appuya à la tablette de coin, branlante, et celle-ci bascula, emportant la dizaine de verres à apéritif qui s'y trouvaient. Le vacarme n'attira personne. Le café était désert, les patrons invisibles. La présence des bagages était déconcertante. Madame Jeanne, qui ne quittait jamais son comptoir, partait-elle en voyage ? Incroyable. Cependant, l'insolite silence de la maison, l'absence des patrons, les bagages abandonnés, tout indiquait une situation anormale.

Louis récupéra les débris sur le carrelage, les fourra au fond de la poubelle puis disposa de nouveaux verres sur la tablette. Non, c'était stupide. Madame Jeanne aurait pu citer, à l'unité près, le nombre de pièces que comprenait chaque catégorie de vaisselle. Il ressortit les morceaux de verre, mit sa faute en évidence sur la table de marbre et, ne sachant trop que faire de sa personne, écouta le silence.

– Il n'y a personne ?

– …onne, répondit un léger écho.

Les valises en carton bouilli étaient lourdes. Louis aperçut un bout de lingerie qui dépassait. Il tira progressivement, le tissu résista, puis l'étoffe bleue sortit d'un seul coup. Entre les plis, il y avait deux billets de banque. Complètement affolé, Louis refoula le tout sous le couvercle de la valise. Craignant qu'on ne le surprenne, il se précipita sans réfléchir dans le long couloir obscur qui débouchait au pied de l'escalier de bois desservant l'appartement des propriétaires du Café des Amis. Jamais il ne s'y aventurait, madame Jeanne ayant déclaré que sa vie personnelle commençait là. Si au comptoir elle se montrait disponible pour tout un chacun, dès qu'elle entrait dans son appartement, elle devenait Jeannette Beaujour, femme ordinaire, et le client qui franchissait la porte frontière était vertement rabroué.

Appuyé à la rampe, Louis sonda le trou sombre de la cage d'escalier. Il osa un timide appel, qui resta sans réponse. Cependant, il crut entendre des bruits de pas. Conscient de commettre une faute que n'apprécierait pas madame Jeanne, il gravit deux ou trois marches, le cœur battant. À nouveau, il appela, plus fort. Les pas cessèrent. Louis, un peu chancelant, se cramponna à la rampe. S'il s'agissait de cambrioleurs ? En un éclair, il vit madame Jeanne ligotée, le butin enfoui dans les fameuses valises, monsieur Jean étendu à même le sol, assommé, mort peut-être.

Louis escalada les dernières marches. Il frappa à la porte. Quelque part, un chat miaula. Louis riva son œil au trou de serrure, mais ne vit qu'un halo jaunâtre traversé de l'ombre floue d'un meuble. Maintenant, son cœur battait la chamade. Il lui semblait que sa respiration de locomotive emplissait la maison. Malgré tout, dominant sa peur, il retint son souffle aussi longtemps qu'il le put. Un silence artificiel s'installa et alors, distinctement, Louis perçut le craquement du plancher, puis un murmure suivi d'un « chut ».

Louis Podski ferma les yeux, songea brièvement à Hannah qu'il ne reverrait sans doute jamais et ouvrit bravement la porte.

Dans la pièce – la cuisine de madame Jeanne –, il y avait une femme vêtue d'un tailleur noir et deux enfants. Ils paraissaient terrorisés. Le plus grand des enfants avait plaqué sa main sur la bouche du plus petit et son autre bras enserrait le cou du garçon. Le vêtement sombre de la femme accentuait encore la pâleur abominable de son visage. Ce masque blanc était posé sur un corps dépourvu de tout signe de vie. Durant quelques dizaines de secondes, Louis et le trio inconnu demeurèrent face à face, silencieux. Puis, oubliant sa propre présence dans la cuisine de madame Jeanne, Louis demanda :

– Que faites-vous ici ?

La femme s'approcha des enfants qu'elle pressa contre elle sans dire un mot. La situation devenait embarrassante. C'est alors que Louis, par un réflexe de politesse, retira la casquette qui le vieillissait, révélant ainsi ses douze ans de gamin poussé trop vite. Sans doute était-ce suffisant, car l'aîné des enfants s'enhardit.

– Et toi, qu'est-ce que tu fiches là, tu as

l'autorisation ? Nous, on l'a, même que madame Beaujour a dit de l'attendre et que...

La femme murmura :

– Tais-toi, Marc.

Elle s'avança légèrement.

– Nous sommes des amis de madame Beaujour, elle revient d'une minute à l'autre.

– Ah ! bon, admit Louis à contrecœur.

Toutefois, il n'eut pas à pousser davantage son enquête, madame Jeanne grimpait l'escalier. Elle découvrit sans surprise l'intrusion de Louis dans sa cuisine.

– Ah ! tu es là, toi ! dit-elle. De toute manière, il fallait que ça arrive.

Elle se laissa tomber sur une chaise. Elle respirait avec peine. Son corps massif s'abandonnait à la fatigue. Sa main baguée éventait son visage congestionné.

– Fichu escalier... enfin, bref, votre histoire s'arrange mal. Le passeur est absent pendant dix jours, je me demande ce que je vais faire de vous.

– Ah ! tu es là, toi ! dit-elle. De toute façon, il fallait que ça arrive.

Le regard de la femme en noir vacilla, mais elle n'eut pas un mot. On aurait dit un oiseau en cage contemplant tristement le ciel bleu de la liberté.

Madame Jeanne agrippa le poignet de Louis. Il espéra vaguement qu'elle l'assiérait sur ses genoux.

– Autant que je t'explique...

– Autant que je t'explique, dit-elle. Voilà... heu... il me semble qu'à ton âge tu comprendras. Mme Boumiran et ses deux enfants, Marc et Robert, désirent passer en zone libre. Je... j'avais promis de m'en occuper, mais le passeur est absent. Ne parle jamais de cette histoire à quiconque, sinon j'irais en prison. Tu le sais ?

Elle fixait anxieusement Louis. Elle ajouta, comme si la précision donnait du poids à ses craintes :

– Ils sont juifs et veulent échapper aux Allemands. Mon petit Loulou, tu as dû te rendre compte que les Allemands haïssent les juifs au point de les emprisonner. Ils font pire aussi et si tu n'étais pas si jeune...

Louis dévisagea les enfants. Si l'aîné le toisait crânement, Robert, les yeux clos, suçait son pouce.

– Ils passeront la ligne de démarcation avec moi, dit-il soudain.

– Ne raconte pas de sottises, ce n'est guère le moment, soupira Jeannette Beaujour. Contente-toi de garder le silence.

Louis remit sa casquette.

– Madame Jeanne, je franchis la ligne de démarcation deux ou trois fois par semaine.

La tension devint extrême. Les gouttes d'eau qui tombaient sur le rebord de la fenêtre explosaient comme des coups de tonnerre. Robert cessa de brouter son pouce. La femme en noir se mordit la lèvre. Madame Jeanne serra le poignet de Louis.

– Je t'écoute, Loulou.

Louis expliqua qu'il traversait la rivière grâce à une vieille barque à fond plat. Oh ! certes, il ne précisa pas que la barque était un emprunt proche du vol, malgré son pitoyable état, qu'il la dissimulait sous les branches et ne l'utilisait qu'avec d'infinies précautions parce qu'il redoutait davantage le propriétaire légitime que les Allemands. Mais madame Jeanne crut son histoire lorsqu'il avoua que, compte tenu des appétits de ses « clients », il avait dû étendre son territoire de chasse. Qu'il regrettait que corbeaux et pies, préférant la zone libre, nichent si loin, dans le petit bois situé de l'autre côté de la rivière.

– Et les Allemands ? questionna Mme Boumiran d'une voix minuscule où perçait un semblant d'espoir.

– Les Allemands remontent la rivière à heures fixes. Il suffit de s'assurer que la ronde a eu lieu et de traverser dans leur dos. Je l'ai fait des dizaines de fois.

Une grosse mouche verte, répugnante, s'acharnait contre la vitre. Ils entendaient tous le bourdonnement rageur.

– Loulou, accepterais-tu de passer Mme Boumiran et ses deux enfants ?

– Évidemment. La dernière ronde est à dix-sept heures. Si quelqu'un vous dépose une demi-heure avant à l'endroit que j'indiquerai, nous traverserons la rivière dès ce soir.

– Si je m'attendais… Mon petit Loulou, jamais je ne te remercierai assez ! Je te donnerai dix francs, non, vingt !

La femme en noir parut émerger d'un long rêve, son visage récupérait un peu de couleur.

– Moi aussi je te récompenserai, mon fils, dit-elle d'une voix encore défaillante.

Louis Podski détourna la tête. Son regard erra un instant dans la pièce et suivit le vol affolé de la mouche. Il s'approcha des carreaux, écarta le rideau de cretonne, écrasa l'insecte.

– Je ne veux rien, pour ça, je ne veux rien, dit-il doucement.

La fourgonnette à gazogène déposa le trio et les valises au bord de la départementale 46. Caché dans la baraque des cantonniers, Louis attendait en sculptant un manche de pelle, à l'aide de son canif. Habitué des lieux, il façonnait lettre après lettre, jour après jour, et l'inscription prenait bonne allure : « Labris est un faux-cul ». Il abandonna le « l », rangea l'outil. Il ne ressentait aucune excitation particulière à l'idée d'accomplir ce énième passage en zone libre. Il siffla le groupe qui se précipita dès qu'il le vit.

– Nous ne transporterons pas les valises aujourd'hui, dit Louis, la barque ne supporterait pas un tel poids. Elles resteront dans la cabane et je les transborderai demain matin

Elvire Boumiran ne protesta pas. Elle était toujours très pâle, et paraissait prête à se désagréger d'un instant à l'autre. Marc, sensiblement du même âge que Louis, s'essayait au rôle de père ; il couvait son frère de son autorité maladroite, le saoulait de conseils plus ou moins contradictoires. Les deux enfants étaient identiquement vêtus de culottes courtes bleu marine, d'un pull bleu marine et de sandalettes.

Louis détailla le trajet. Traverser le pré à découvert, très vite, afin de ne pas être vus de la route ; longer le bois de peupliers, contourner deux champs de blé. À partir de là débutait une zone dangereuse : entre la rivière et les champs, une immense vigne déroulait ses alignements de ceps, visibles à la jumelle depuis le poste allemand situé en amont. Durant plusieurs minutes, ils avanceraient courbés, parfois même ils ramperaient.

– Comme les Indiens ! exulta Robert.

– On ne joue pas ! gronda son frère. Si tu n'obéis pas, les Allemands nous prendront.

Aussitôt, l'enfant fut proche des larmes. Il s'enfouit le pouce dans la bouche et se tut. Peut-être avait-il cinq ou six ans, et on voyait qu'il se pliait volontiers à la sévérité du frère.

Ils se mirent en marche. La route était déserte mais il restait le risque d'une patrouille allemande imprévue. La femme avançait vite, à petits pas mécaniques. Elle épiait la route. Elle était à bout, de grands cernes mauves pochaient ses paupières. On la devinait pessimiste, incapable d'imaginer une issue heureuse à cette fuite à travers champs.

La marche s'accomplissait en silence, chacun ruminant ses pensées. Lorsqu'ils parvinrent au rideau d'arbres, la tension se relâcha. Louis accorda quelques minutes de repos. Mme Boumiran et Robert s'assirent à l'écart et le petit quêta les caresses de sa mère.

– Alors, t'es juif ? dit brutalement Louis à Marc.

Il lança le mot avec tant de rudesse que l'enfant hocha à peine la tête et s'adossa à un peuplier éloigné.

– Ton frère et ta mère aussi ?

Marc haussa les épaules.

– Moi aussi, je suis juif, dit Louis.

Un large sourire amical illumina le visage du garçon.

– Ah ! voilà pourquoi tu nous aides à franchir la ligne de démarcation !

– Pas du tout, marmonna Louis, c'est...

c'est parce que j'aime bien madame Jeanne.

Le regard de Marc dériva sur l'horizon.

– Tu n'as pas peur des Allemands ? Pourquoi tu ne te sauves pas, comme nous, en zone libre ?

Louis suivait le fil de sa pensée.

– Comment sais-tu que tu es juif ? demanda-t-il.

– Tu rigoles ou quoi ?

– Ben non. Je suis juif, mais je ne sais pas pourquoi, sauf le truc là, la circondition.

Marc éclata de rire.

– La circoncision ! Tu te paies ma tête, hein ? Si tu es juif, tu pries, tu respectes le Shabbat, le Kippour, Rosh Hachanna.

L'étalage de mots savants rendit Louis furieux.

– Je ne te demande pas de raconter ta vie, mais seulement de me dire comment on sait qu'on est juif !

Il baissa la voix.

– Ta mère, par exemple, comment elle le

sait ? Comment les Boches voient qu'elle est juive ?

Marc cherchait le sourire, le clin d'œil, l'indice qui trahirait la plaisanterie. Il ne découvrit qu'un visage buté.

– Pourquoi tu te moques de nous ? dit-il. On ne t'a rien fait.

Leur progression à travers les vignes fut très lente.

Leur progression à travers les vignes fut très lente. Ils avançaient courbés ou rampaient entre les ceps lorsque le terrain présentait des secteurs trop vulnérables. Malgré la colère de Marc, Robert jouait à l'Indien, filant à quatre pattes loin des regards. Puis, lorsqu'il se lassait, il se goinfrait de raisin vert, demeurant sourd aux appels excédés. Mme Boumiran avait abdiqué toute autorité. Elle se comportait en automate docile, obéissait passivement aux directives de Louis. Parfois – et c'était comique – elle répondait « oui, monsieur » avant d'exécuter la manœuvre conseillée. Visiblement, l'attitude de la mère agaçait l'aîné des enfants mais, prévenant la curiosité de Louis, il voulut la défendre.

– Maman est malade, admit-il, elle guérira lorsque nous serons arrivés. Elle a besoin de repos.

Il disait cela du ton convaincu et pénétré du docteur rassurant un patient.

– Où allez-vous ? demanda poliment Louis.

– Dans un bourg, près de Dole. Des sœurs nous recueilleront, mon frère et moi, nous irons à l'école de l'institution.

Soudain, sa voix se fragilisa.

– Maman ne viendra pas avec nous, elle travaillera dans une ferme. Les sœurs ont promis que nous la verrions de temps en temps. Elle… elle est comme ça depuis l'arrestation de papa.

– Les Allemands ?

– Il a été arrêté par la police française qui exécute les ordres des nazis. Il est prisonnier à Drancy… Enfin, je crois, parce que nous ne recevons jamais de lettres. Quand je serai grand, je tuerai tous les Allemands et tous ceux qui ont pris mon père !

La farouche détermination qui allumait ses yeux gris était une réelle promesse de meurtre ; elle mit Louis mal à l'aise. Plus tard, alors qu'il ne restait qu'une cinquantaine de mètres à couvrir et qu'ils reprenaient leur souffle, Marc, adossé à un cep, jeta :

– Les juifs, on les reconnaît à ce que personne ne les aime.

D'abord, Louis ne fit pas le lien avec son ancienne question. Il tenta – en vain – de capter le regard du garçon qui fuyait vers des horizons incertains. Enfin, lorsqu'il eut reconstitué le cheminement mental de l'enfant, il dit son désaccord.

– Moi, on m'aime bien. Au Café des Amis, les clients m'appellent Loulou. Madame Jeanne…

– Alors, tu n'es pas juif ! trancha Marc.

Et il rampa plus loin, auprès de Robert et d'Elvire Boumiran.

La rivière, grosse des pluies des jours précédents, roulait des eaux jaunâtres qui tourbillonnaient entre les rochers. Immobilisés sur la rive, le trio considérait la berge opposée avec une fascination épouvantée. Chaque parcelle de leur être n'était que crispation et certitude qu'il était impossible de franchir un tel torrent furieux.

Pendant ce temps, en navigateur blasé, Louis dégageait posément la barque que dissimulaient une souche d'arbre et un amoncellement de verdure.

– Ne vous frappez pas, annonça-t-il, d'un ton protecteur, je connais la rivière comme ma poche. Le courant nous guidera et nous déposera gentiment de l'autre côté. Ensuite, vous aurez un kilomètre à parcourir avant d'atteindre la chapelle Sainte-Anne, votre lieu de rendez-vous.

Robert refusa de grimper dans la barque

dont le fond était recouvert de deux ou trois centimètres d'eau. Cramponné à un arbuste, il pleurnichait et désignait l'eau boueuse.

– On va couler, on va couler !

Elvire Boumiran et son fils aîné pensaient exactement la même chose mais, acculés au destin, ils l'affrontaient, les yeux clos, avec le fatalisme de ceux que les épreuves ont usés.

Louis se fâcha. L'aventure tournait à la farce, il se voyait hériter d'un trio de froussards qu'il devrait raccompagner chez madame Jeanne. Il tordit sans ménagement le bras de Robert.

– Tu veux une baffe ? Grimpe et ferme-la !

La stupéfaction coupa net les pleurs. L'enfant se contenta de hoquets ou de soupirs chagrins. Il lorgna son frère, mais obéit. D'un coup de pied rageur, Louis expédia la barque en plein courant.

Ce jour-là, la patrouille allemande, qu'une panne avait retardée, ne commença sa ronde qu'à dix-sept heures quinze. Heureusement, le pilote du bateau voulut récupérer le temps perdu et accéléra au-delà du raisonnable. L'embarcation chavira à moins de deux cents mètres de la barque de Louis. Sur les six hommes que comportait la patrouille, il y eut deux noyés. Les opérations de recherche et de renflouement durèrent longtemps et Louis ne regagna le coron qu'au crépuscule. Il avait bénéficié d'une chance extraordinaire.

Devant la maison vide, Hannah l'attendait, telle une vigie désespérée.

Trois camions noirs, disposés en chicane, barraient la rue des Bégonias.

LA RAFLE 4

Le 12 octobre 1941, la famille Podski échappa à une rafle. C'était un samedi. Hannah et Louis étaient partis faire des courses et, exceptionnellement, Abraham les accompagnait. Il détestait ce temps perdu, aussi traînait-il en arrière. Il protestait à chaque arrêt devant les vitrines si mal approvisionnées. Il étouffait, engoncé dans sa lourde canadienne, et reprochait inconsciemment à sa femme d'avoir su prévoir qu'il ferait beau. Elle marchait d'un bon pas, son léger tailleur mauve dessinait une corolle autour des genoux.

Au retour, Abraham proposa de couper par la rue des Bégonias. Ils contournèrent le quartier italien, ne s'aperçurent pas que les promeneurs marchaient vite, sans se parler, et lorsqu'ils débouchèrent du passage souterrain qui, sous les immeubles, abrégeait le trajet, il était trop tard. Trois camions noirs, disposés en chicane, barraient la rue des Bégonias. Une vingtaine de policiers contrôlaient les papiers.

– Les salauds devraient avoir honte de faire le sale travail des Boches !

Dans leur longue et sombre pèlerine, ils ressemblaient à d'inquiétantes chauves-souris.

Pétrifiés, Abraham et Hannah Podski s'immobilisèrent. Au contraire, fort excité, Louis désirait aller de l'avant. Devant sa porte ouverte, une énorme femme à la taille informe ceinte d'un vaste tablier considérait le spectacle avec un mépris orgueilleux, proche de la provocation. De temps à autre, elle lançait un commentaire acide qu'elle soulignait d'une avancée de son double menton.

– La flicaille cherche à embarquer du monde ! Les salauds devraient avoir honte de faire le sale travail des Boches !

Nullement effrayée, elle baissait à peine le ton, montrait du doigt les « pèlerines ». Elle était bien la seule à avoir ce comportement.

Les vérifications d'identité s'accomplissaient dans un silence impressionnant. Les promeneurs s'éloignaient dès qu'ils récupéraient leurs papiers. Certains souriaient avec obséquiosité. Louis vit que des policiers entraient dans les maisons.

– Ils arrêtent les juifs, évidemment c'est moins dangereux que de s'attaquer aux gangsters ! claironna encore la femme.

Au mot de juif, Abraham se raidit imperceptiblement. Il prit la main de Louis, voulut faire demi-tour. La grosse femme repéra le changement d'attitude. Elle demanda :

– Vous êtes juifs ?

Devançant son mari, Hannah dit fébrilement :

– Oui, oui, nous le sommes !

– Entrez chez moi. Inutile de rebrousser chemin, les pèlerines ont bouclé le quartier !

Les Podski demeurèrent trois heures avec Mme Dubreuil, mercière de profession, veuve d'un mari tué par les Allemands en 1917.

Le soir, de retour au coron, une fois de plus, Abraham et Hannah discutèrent des heures. Hannah fabriqua un sachet de toile dans lequel elle plaça le faux certificat de baptême ; elle le mit autour du cou de Louis et lui recommanda de ne jamais s'en séparer.

– À quoi cela servira, maman ?

– Le certificat prouve que tu n'es pas juif.

– Mais je le suis ?

– Oui… non… mon Dieu… le papier dit que tu ne l'es pas, cela seul compte.

Hannah s'enferma alors dans un long mutisme et, lorsqu'elle en sortit, ce fut pour annoncer :

– Un jour, ils viendront à la maison.

– Oui, ils viendront, concéda Abraham. À quoi servirait de fuir, et où irions-nous ?

Hannah ne répondit pas. Elle appela Louis.

– Assieds-toi près de nous, croise sagement tes bras, écoute.

Dans la lumière laiteuse que l'abat-jour de

*– Un jour,
ils viendront
à la maison.*

tricot rabattait en cône, les trois têtes se touchaient presque.

– Un jour, la police viendra nous arrêter, reprit gravement Hannah. Tu leur échapperas.

– Mais…, dit Louis.

– Chut ! Écoute-moi ! Tu leur échapperas… pour nous. Pour qu'ils aient honte. Ton père et moi, nous nous débrouillerons, nous nous sommes toujours débrouillés. Ne t'inquiète pas, je te promets qu'il ne nous arrivera rien de grave. Jure que tu m'obéiras ! Tu sais, notre chanson, *Le Temps des cerises* ? À partir d'aujourd'hui, je ne la chanterai plus, plus jamais, sauf en cas de danger. Si Abraham ou moi fredonnons cette chanson, ne pose aucune question, fuis chez monsieur Dorémi, il est au courant. De même, chaque fois que tu arrives à la maison, ouvre la boîte aux lettres : si la partition du *Temps des cerises* s'y trouve, sauve-toi. As-tu compris, Louis ? Fuis, fuis !

Hannah réexpliqua plusieurs fois. Le cœur de Louis n'était qu'une pierre froide, son corps qu'une peur glacée. Lorsqu'elle fut certaine que chaque mot était incrusté dans le cerveau de son fils, elle eut un doux sourire apaisant.

– Te souviens-tu des paroles du *Temps des cerises* ?

Louis hocha la tête. Il était incapable de parler.

– Chantons-les une dernière fois ensemble, tu veux ?

Quand nous en serons au temps des cerises,
Les gais rossignols, les merles moqueurs
Seront tous en fête…

Louis entrait dans sa treizième année.

L'ANNÉE 1942 5

Louis entrait dans sa treizième année. Maintenant, il mesurait un mètre soixante-quinze, ses épaules s'élargissaient, ses muscles s'étoffaient. Seuls les traits du visage, encore flous, trahissaient l'enfance.

Les jours offraient leur cours ordinaire, lent avec les habituelles tracasseries de la guerre. Depuis peu, Russes et Américains participaient au conflit et la plupart des Français imaginaient un calvaire sans fin. Quant à Louis, il n'entrevoyait la guerre qu'à travers les conversations, les manchettes des journaux accrochés aux présentoirs du kiosque de la rue des Bégonias. C'était un événement lointain, presque irréel, une de ces histoires dont raffolent les adultes qui aiment à se faire peur.

Certes, il y avait les Allemands. Mais ils occupaient la ville depuis si longtemps...

Cependant les difficultés pour se nourrir rappelaient l'existence d'une guerre qui égrenait de si jolis noms : Leningrad, Pearl Harbour, Héraklion. La famille Podski perdait le goût de la viande, quasi introuvable. Le sucre n'existait plus, même le pain manquait. Hannah citait des prix du marché noir dont le montant astronomique laissait rêveur. Mille francs un kilo de viande, cinq cents le beurre…

Le sucre n'existait plus, même le pain manquait.

Louis Podski s'interrogeait. Pourquoi les nazis se goinfraient-ils de bifteck dans le seul but d'en priver les Français ? Encore une telle méchanceté était-elle concevable dans le domaine de la nourriture, mais la disparition du savon demeurait une énigme. Il supposait les jeunes Allemands engloutis sous la mousse délirante de bains gigantesques ; quant à lui, il s'accommodait assez bien de ce genre de pénurie. Plus il approchait du centre de la ville, plus sa haine de l'occupant s'attisait. Dans les principales artères circulaient des centaines de bicyclettes, les garages à vélos regorgeaient de machines plus ou moins belles et Louis songeait à celle d'Abraham. L'idée que la bicyclette de son père était là, quelque part aux mains d'un profiteur, était insupportable. Quoique la tâche fût insensée, il décida de repérer l'engin. Il entreprit systématiquement le contrôle des garages disséminés au long des rues. Il guetta les cyclistes, détailla les machines. Plusieurs fois, il eut maille à partir avec des propriétaires méfiants qui craignaient le vol.

Un jour, son cœur fit une embardée. Il crut reconnaître la bicyclette d'Abraham ; le maquillage du numéro d'immatriculation – 224 RT – était évident. Une jolie fille, vêtue d'un pantalon de golf bouffant, d'un chemisier blanc ajouré, poussait nonchalamment l'engin.

– Votre vélo est magnifique ! dit Louis d'une voix envieuse.

La jeune fille sourit et fit bouffer ses boucles blondes, vaporeuses, dans le soleil de janvier.

– Vous l'avez depuis longtemps ? J'aimerais acheter le même, mais je suppose qu'il coûte très cher ?

La fille ne paraissait pas pressée de répondre. Louis en profita ; ses yeux furetaient, glissaient le long de la bicyclette, détaillaient chaque pièce. Peu à peu, il découvrait que la machine, copie exacte de celle d'Abraham, n'était cependant pas la bonne.

– Ben vous, vous ne manquez pas de culot ! s'exclama soudain la jeune fille.

Mais son large sourire démentait les paroles.

Louis se vit découvert. On le soupçonnait. Il rougit, bafouilla.

– Non… elle est belle… si belle que… que… on aimerait la caresser.

– Ça alors, de mieux en mieux ! C'est la première fois que quelqu'un me joue le coup du vélo ! Après tout, pourquoi pas ? Vous

êtes un peu rapide, non ? Si vous m'offriez un verre au café de la place, on discuterait.

La fille le prenait pour un baratineur ! Et elle l'invitait à poursuivre ! Misère ! Novice et parfaitement affolé, Louis détala, le feu aux joues.

Le Café des Amis accaparait ses heures de liberté.

Plus tard, il fut très fier de sa première conquête, mais abandonna néanmoins sa chasse à la bicyclette bleue.

D'ailleurs, le Café des Amis accaparait ses heures de liberté, réduites depuis que ses parents exigeaient qu'il soit rentré au plus tard à vingt heures. Il jouait parfois à la belote, remplaçant un partenaire absent. Par deux fois, madame Jeanne le conduisit au premier étage : là, il découvrait des fuyards terrorisés qui désiraient passer en zone libre. La patronne du café chargeait Louis de la mission. Au retour, elle ne demandait rien et glissait un billet dans le creux de sa main.

Le Café des Amis était une officine de marché noir. Un discret trafic liait les clients d'une complicité silencieuse. Louis se rendait périodiquement rue du Moulin. Il transportait de volumineux paquets, des lettres, voire de mystérieux messages oraux que madame Jeanne faisait répéter mot pour mot. Personne ne donnait d'explication, ni même ne tentait de se justifier. Un peu d'argent réglait la course et achetait le silence du commissionnaire.

Franz Hunger avait obtenu un répit. Il ne parlait plus de fermer l'antenne de la Kommandantur. Il évitait de recevoir Louis dans son bureau, l'appelait « le petit juif », réutilisait le vouvoiement, ne s'intéressait vraiment qu'à Dorémi.

– N'oubliez pas, disait-il, la bicyclette et la TSF dès que vous apprenez quelque chose.

Louis n'osait pas alerter Dorémi. Le professeur de piano n'apprécierait pas ses fréquentations. Comment interpréterait-il le rôle ambigu qu'il tenait auprès de l'officier allemand ? Perdre l'amitié – distante, mais réelle – de celui qui jouait si intensément *Le Temps des cerises* était un trop grand sacrifice. Aussi Louis conservait-il un silence de coupable, et il lui semblait que parfois les yeux de hibou de Dorémi décelaient son double jeu.

Ainsi, madame Jeanne trafiquait avec les Allemands et organisait des passages en zone libre, les clients maudissaient l'époque et utilisaient le marché noir, Dorémi haïssait l'occupant mais jouait aux cartes dans un café que fréquentait la Wehrmacht. Au centre de l'imbroglio, Louis Podski, sorte de ballon poussé de-ci, de-là, au gré des circonstances, s'accommodait à peu près de la situation.

Si l'amitié de Dorémi était lointaine, celle de Biélot se faisait envahissante. Sans cesse, il appelait Louis à sa table, serinant jusqu'à ce que le garçon abandonne son activité au profit du 421.

– Tu deviendras un champion, mon Loulou, jubilait-il en lançant les dés.

En fait, la conversation l'intéressait davantage que le jeu. Homme solitaire et aigri, il déversait sur Louis les rancœurs de sa vie de bureaucrate. Certain de son approbation, il prenait l'enfant à témoin, au long d'interminables monologues. À mesure que les denrées se raréfiaient, Biélot grossissait. On aurait dit qu'il se nourrissait des restrictions. Son énorme ventre mou dégringolait par-dessus un pantalon dont la ceinture immergée dans la graisse était invisible. Il transpirait abondamment et Louis redoutait plus que tout sa poignée de main gluante. Lorsqu'il donnait les dés, les cubes d'ivoire ressemblaient à trois bonbons blancs qui auraient été sucés.

Un jour, à la suite d'un de ses discours dans lequel Biélot assenait ses certitudes, il confia :

– Si tes parents désirent quoi que ce soit, demande... j'ai de tout...

Sa paupière lourde, veinée d'un bleu malsain, battait de clignements complices.

– Évidemment, ça coûte, poursuivit-il sur le même ton de conspirateur, cependant, comme tu es un bon p'tit gars, on s'arrangera… Ah ! ah ! ah ! Biélot n'estamperait pas un partenaire de jeu ! Tiens d'ailleurs, quel est son boulot, à ton père ?

Louis avait détourné la conversation.

Biélot connaissait à peu près tous les Allemands qui fréquentaient le café. Parfois, il voulait convaincre les habitués que la France avait de la chance de connaître l'occupation germanique.

– Les nazis sauveront l'Europe du communisme, clamait-il. Grâce à Hitler, notre pays retrouvera puissance, honneur et fierté !

Seuls les frères Sirmain approuvaient, l'un après l'autre, en termes identiques. Mais ils auraient tout aussi bien souscrit aux opinions contraires.

Par contre, Chaunot s'emportait.

– Et ma guibolle, hurlait-il, c'est pas les Boches peut-être qui me l'ont prise ? En 14, où étiez-vous ? À siroter votre bière au chaud, pendant que d'autres se faisaient étriper…

À ce stade, madame Jeanne intervenait.

– Bon, bon, calmez-vous. Ici, on ne cause pas politique !

– Ici, on ne cause pas politique !

Alors, dépité, Biélot récupérait Louis s'il rôdait dans les parages.

– Chaunot débloque, disait-il, sa jambe c'est de l'histoire ancienne, du radotage d'infirme. D'autres que lui ont laissé des plumes et ils ne se posent pas en martyrs. Finalement, les Allemands sont de bons bougres ; nous traitons des affaires ensemble et je ne m'en plains pas !

Il riait, une fossette creusait son menton gras. Il vidait son verre de bière, puis s'épongeait le front et considérait – toujours avec surprise semble-t-il – la transpiration qui salissait le mouchoir de batiste.

– À la fin de la guerre, je serai riche et, qui sait, peut-être ferai-je de la politique, la députation me tente. Ceux qui ne suivent pas le

Maréchal auront des ennuis et, ma foi, ils paieront les conséquences de leur trahison.

Louis acquiesçait, mais les propos de Biélot conservaient leur mystère.

En revanche, la discrétion de Dorémi l'étonnait. Il participait peu aux conversations, laissait Biélot débiter ses sottises. Il se contentait de jouer, de boire son apéritif ou, les jours sans alcool, une limonade additionnée d'un sirop de cassis. Chaque semaine, il donnait à Louis une leçon de piano. Pourtant, au Café des Amis, c'est à peine s'il le saluait. Parfois même, si l'adolescent s'intéressait trop à son jeu ou s'il marquait quelque familiarité à son égard, il le rabrouait. Mais, dans sa mansarde minuscule nichée sous le toit d'un immeuble médiocre de la rue de la Machinerie, il se montrait d'une extraordinaire gentillesse.

En ce mois de janvier 1942, l'ordre routinier des jours aurait donc pu calquer celui du temps de paix. Cependant, au cours de la dernière

semaine, deux événements auxquels Louis Podski prêta peu d'attention annonçaient une période noire. La Mine confisqua le jardin des Podski. Sans explication. Hannah lut l'avis, qu'elle tenait dans ses mains diaphanes qui ne tremblaient pas. Son commentaire fut bref.

– Que mangerons-nous l'été et l'hiver prochains ?

– Oh ! l'hiver prochain…, soupira Abraham.

Le jardin devint un sujet tabou.

Puis, le contremaître avisa Abraham qu'il perdrait prochainement son emploi. Des prisonniers rentraient d'Allemagne et le directeur de la mine établissait dossier sur dossier afin de récupérer un boiseur de galerie[1].

Abraham Podski était boiseur de galerie.

Toutefois, Louis s'intéressa d'autant moins à ces menaces qu'en janvier 1942 il commença à manquer l'école. Depuis quelques

---

1. Boiseur de galerie : personne qui garnit de bois les galeries des mines, afin d'éviter qu'elles s'effondrent.

mois, Hannah et Abraham, jusque-là si attentifs à ses résultats scolaires, n'exigeaient plus de comptes.

Peu à peu, l'élève appliqué qu'était Louis Podski, soucieux de ses notes, se mua en cancre exemplaire. La métamorphose s'opéra insidieusement, dès la rentrée de l'année scolaire. Louis dépassait ses camarades d'une bonne tête ; dans la cour de récréation, il ne savait que faire de son long corps et, de loin, les passants pensaient qu'il était l'un des instituteurs. Désœuvré et mal à l'aise, il s'asseyait dans un coin, ne participait à aucun jeu et regardait d'un œil mauvais celui qui s'approchait. En classe, sa taille devenait un calvaire dont jouissait son maître, Antoine Labris, qui l'aimait encore moins que l'année précédente. Il l'avait placé au fond de la salle, lui attribuant une table si basse et si étroite que s'y asseoir demandait une gymnastique compliquée et ridicule.

Chaque matin, pleins d'espoir, les trente-six élèves assistaient au laborieux exercice et Labris renouvelait l'épreuve plusieurs fois au cours de la journée.

– Louis Podski, au tableau, croquis de la Seine et de ses affluents.

– M. Podski pourrait-il distribuer les cahiers ?

– Ah ! Louis, apportez-moi la balance Roberval et les poids !

Chaque injonction s'accompagnait d'un sourire faux. Puis Labris observait les contorsions de Louis. Il n'en perdait pas une miette, espérant une de ces bruyantes chutes qui autorisent une punition, sous prétexte de chahut.

Louis s'appliqua à assouplir son corps afin d'entrer et de sortir élégamment de la table maudite. Quand ce fut fait, il devança les sollicitations empoisonnées du maître.

– M'sieur, je peux distribuer les cahiers ? M'sieur, j'efface le tableau ?

Labris pâlissait. Pas un de ses compagnons n'osait un ricanement, une plaisanterie, ni même une remarque anodine. La force physique de Louis imposait un salutaire respect et d'ailleurs l'instituteur lui-même paraissait redouter ce garçon trop grand pour son âge. Le vouvoiement sarcastique qu'il utilisait avec Louis trahissait aussi un certain embarras mâtiné de prudence.

À la rentrée des vacances de Noël, Antoine Labris dispensa Louis de l'hymne au Maréchal, qui ouvrait chaque journée d'école.

– Monsieur Podski, durant l'hymne au Maréchal, je vous autorise à réviser vos leçons.

– Pourquoi, monsieur ? Pourquoi je ne chanterai pas ?

– Oh ! Louis, comme si vous ignoriez la réponse ! N'êtes-vous pas... euh... disons... de confession israélite ? Dans ce cas, comment glorifier le Maréchal ? Il me semble que c'est... euh... à tout le moins déplacé. Qu'en pensez-vous ?

– Mais, monsieur…

Et Louis s'était tu. Il ne trouvait pas un mot pour défendre son droit à chanter l'hymne au maréchal Pétain. Satisfait de triompher aussi aisément, Antoine Labris avait ajouté :

– D'ailleurs, comment concilier *Le Temps des cerises,* un infâme brouet révolutionnaire, et l'hymne au Maréchal, chant d'espoir d'une période nouvelle ?

Le lendemain, Louis Podski manquait l'école. Labris expédia une lettre. Elle demeura plusieurs jours sur le buffet de cuisine. Au cours d'un repas, Hannah demanda :

– Pourquoi manques-tu l'école ?

– M. Labris me déteste parce que je suis juif, dit Louis. J'en ai marre d'être juif !

Abraham et Hannah échangèrent un regard, puis, abdiquant aussitôt, n'évoquèrent plus la lettre. Ni les suivantes lorsque Louis multiplia les absences. Il se réfugiait au Café des Amis où sa présence les jours d'école

– J'en ai marre d'être juif !

n'étonnait personne. À la suite de ces missives demeurées sans suite, Antoine Labris eut une sentence définitive.

– « Vous » êtes des gens étranges !

– Décidément, « vous » êtes des gens étranges ! Puisque chez « vous », on se désintéresse de l'éducation des enfants, pourquoi serais-je plus royaliste que le roi ? Je ne préviendrai plus votre famille, allez donc vous faire pendre ailleurs si le cœur vous en dit !

Lorsqu'il réintégrait la classe, après un ou deux jours d'absence, Labris ne faisait aucun commentaire. Son regard errait au-dessus des têtes, n'effleurait pas celle de Louis, ou alors, au contraire, s'y arrêtait de longues secondes, regard vide, qu'une chose accroche un instant, et qui repart. Louis était une chose. Dédaigné, il croupissait au fond de la salle, mais son ancien acharnement aux études le ramenait sans cesse sur le banc détesté. Il étudiait les leçons de géographie qu'il ne récitait jamais, résolvait des problèmes que Labris ne corrigeait pas. À l'école, il était malheureux ; s'il n'y venait pas, il se sentait coupable.

Un matin de février 1942, il traversa la cour de récréation qu'arpentait Antoine Labris, se planta face au bonhomme frigorifié et déclama, détachant chaque syllabe :

– *À vaincre sans péril, on triomphe sans gloire. Le Cid,* acte II, scène 2.

À compter de cet instant, Labris ne lui adressa plus la parole.

Depuis plusieurs mois, Hannah Podski traînassait en chemise de nuit. Quand elle devait sortir, elle enfilait ce qui lui tombait sous la main, indifférente à tout. Brusquement, en ce début d'année 1942, elle sortit de son apathie et fit comme si la seule chose importante de la vie était la robe dernier cri, le chapeau élégant. À la maison, Hannah meublait les silences de considérations sans fin sur la manière de se vêtir. Au début, Abraham et Louis écoutèrent avec effarement le torrent de paroles que Hannah déversait sans reprendre son souffle. Puis ils ne prêtèrent plus qu'une oreille distraite au phénomène qui avait cependant le mérite de créer l'illusion d'un dialogue familial.

Hannah se saoulait de mots.

Louis crut qu'elle se passionnait réellement et il fut très fier de la nouvelle élégance de sa mère. Elle disposait de peu d'argent, beaucoup d'articles étaient inaccessibles, aussi travaillait-elle très tard, courbée sur sa vieille machine à coudre de la marque « Mine d'Or ».

Louis décida d'aider cette ahurissante transformation et, comme Hannah se teignait les jambes de la couleur des bas, il voulut acheter de véritables bas de soie, grâce à sa propre cagnotte. Il n'eut aucun mal à dénicher l'article introuvable. Il s'adressa à Biélot.

– Ouille, ouille, ouille ! brama le percepteur. Mon pauvre Loulou, il y a belle lurette

– À vaincre
sans péril,
on triomphe
sans gloire.

que les bas de soie n'existent plus que dans les rêves des femmes !

Il lança les dés, réalisa un 421 sec. La réussite le rendit bonhomme.

– Remarque, tu as frappé à la bonne porte, parce que si quelqu'un ici peut te procurer des bas de soie…

Une semaine plus tard, Louis échangeait une poignée de billets contre un petit rectangle de cellophane crissante qui contenait les précieux bas.

Il déposa son cadeau sous l'assiette de Hannah. Elle ouvrit le paquet et Louis, qui n'était qu'attente joyeuse, vit le visage de sa mère se fermer. Elle ne toucha pas les bas, comme s'il s'agissait d'une chose dont elle ignorait l'usage. La cellophane gisait dans l'assiette et Hannah fixait le paquet avec une sorte de fascination.

– Où as-tu pris ça ? murmura-t-elle.

– Je les ai achetés.

– Au marché noir…

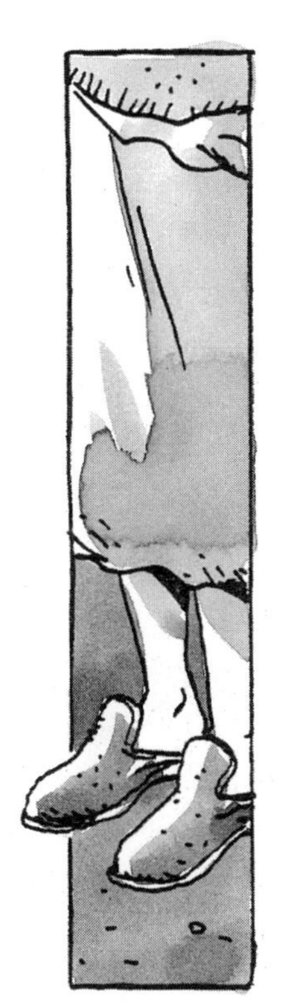

– Ben, oui…

Hannah se tut. De l'extrémité des doigts, elle froissa un peu la soie.

– Ils sont magnifiques, dit-elle. Elle esquissa un maigre sourire, balbutia un « merci » que Louis n'entendit pas et lui fit jurer que jamais plus il n'achèterait de marchandise au marché noir. Le soir, Abraham et Hannah eurent une longue conversation en polonais.

Le lendemain, Hannah abandonnait toutes ses prétentions à l'élégance. Elle remit ses pantoufles affaissées, ses jupes et ses pulls aux couleurs discordantes. La paire de bas de soie disparut.

Louis n'osait pas regarder les jambes de Hannah.

Un matin, en traversant le square Thiers, Louis aperçut des ouvriers qui déboulonnaient la statue de l'ours, ancien refuge des pigeons tant appréciés des clients du Café des Amis.

– Vous la nettoierez ? interrogea-t-il naïvement.

– Fichtre, ricana un des hommes, sûr qu'elle sera définitivement nettoyée !

– C'est EUX, précisa un autre, ils nous piquent nos statues de bronze pour l'armée. F'ront des canons avec…

Il s'approcha de Louis, baissa la voix.

– Quand je pense que nous LEUR fournissons de quoi écrabouiller les p'tiots gars anglais et américains ! C't'une honte…

Il crachouilla un mégot de cigarette, reprit son travail non sans lancer à Louis un regard de défi comme s'il signifiait ainsi qu'il pouvait colporter ses accusations si bon lui semblait. Louis détestait l'énorme ours de métal semblable à une pomme de terre, mais que la Wehrmacht s'approprie la sculpture était une injustice ; après la bicyclette et la TSF, il surprenait une fois de plus les Allemands en flagrant délit de vol.

Révolté, il se précipita au domicile de Dorémi, situé à proximité, et raconta la scène. La visite de l'enfant n'enthousiasma pas le professeur de piano. Il maintint Louis à proximité de la porte, répondit brièvement à ses questions.

– Oui, oui, je suis au courant, dit-il, les Boches piquent notre bronze comme ils piquent tout le reste.

– Mais, s'étonna Louis, dans le square, des gens riaient.

Dorémi retira ses lunettes. Il réajusta le rectangle de sparadrap qui maintenait la monture brisée. Deux cernes pâles soulignaient ses yeux bruns.

– Que veux-tu que je te dise ? soupira-t-il. Je te verrai au Café des Amis…

Il avança vers la porte demeurée ouverte, mais Louis n'avait pas envie de quitter la chaleur de la mansarde. Il faisait l'école buissonnière et la journée serait longue.

– Bon… j'attends une visite, fit Dorémi.

– Ah, dit Louis dépité, mais je peux…

– Tu ne dois pas rester ici. Tiens, je t'emmène au cinéma cet après-midi !

Louis écarquilla les yeux. Jamais il n'allait au cinéma. Il n'osait pas y aller seul, persuadé que le caissier ne lui délivrerait d'ailleurs pas le ticket d'entrée. Les enfants qu'il connaissait ne s'y rendaient qu'accompagnés de leurs parents. Il n'eut cependant pas le loisir d'exprimer sa joie : Dorémi le reconduisait jusqu'à l'escalier.

Louis Podski réintégra la rue. Une morne journée s'annonçait. Personne ne s'étonnait qu'il traînât ainsi, pas même Dorémi qui n'avait émis qu'un désaccord de pure forme.

– Tu as tort de faire l'école buissonnière, mais je ne suis pas ton père…

Louis descendit lentement la rue Vairgri qu'une main anonyme avait finement rebaptisée, à la peinture blanche, rue des Boches, et se dirigea vers l'Hôtel de Ville. À part les files habituelles de ménagères, devant les boulangeries ou les boucheries, il n'y avait pas grand monde.

Soudain, il découvrit l'affiche. Plutôt, les affiches. Elles étaient collées par groupes de cinq, sur toute la longueur du haut mur qui ceignait les entrepôts désaffectés de la Société Alfa d'Algérie. Les lettres dessinées à l'encre noire grasse s'étalaient en taches énormes. C'étaient elles qui d'abord vous sautaient à la figure.

SACHEZ LE RECONNAÎTRE

Dessous, une tête cruelle, au nez en bec d'aigle, des yeux fourbes.

L'homme représenté, vêtu du noir de la mort, fuyait le lieu de son crime. Ses doigts crochus, aux immenses ongles, serraient une cassette d'où s'écoulait un flux de pièces d'or. Deux mots rouge sang, que le personnage paraissait traîner dans sa fuite, matérialisaient la route sur laquelle il détalait. LE JUIF.

Pour la première fois, Louis voyait le portrait d'un juif. Le sien. Celui d'Abraham ou de Hannah.

Louis Podski avait décollé une affiche qu'il dissimulait roulée sous son lit. De temps à autre, il la punaisait au mur, étudiait chaque détail du répugnant personnage. Puis, à demi rassuré, il considérait ses propres doigts, palpait son nez. Devant la glace de l'armoire à linge, il s'essayait à des poses proches de celle de l'homme de l'affiche et, dans le silence de la chambre, sifflait entre ses dents : « Le juif… Sachez le reconnaître. » Une fois, Hannah le surprit ainsi, un fer à repasser symbolisant la cassette d'or dans les mains.

En quête de nez crochus, de mains rapaces, il observait les passants. Aucun promeneur ne correspondait au modèle. Cependant, il eut la chance de croiser un individu patibulaire, à l'allure fuyante, dont la tête pivotait sans cesse à la recherche d'on ne savait quoi.

Malgré les doigts boudinés et le nez épaté, l'homme présentait une vague parenté avec l'ombre de l'affiche : d'ailleurs, la serviette de cuir, maintenue serrée sous le bras, contenait évidemment des billets de banque.

Louis prit le juif en filature.

Il n'avait aucune intention malsaine. Il se renseignait. La promenade fut interminable. L'individu marchait si vite que Louis dut coller à ses talons pour ne pas le perdre. Lorsqu'il eut traversé toute la ville d'ouest en est, il pénétra enfin sous le haut porche d'une maison à étages et Louis, certain de débouler au cœur du mystère juif, suivit sans hésiter. Il gravit un nombre incalculable de marches d'escalier branlantes, plongées dans une obscurité complice, mais l'homme ne s'arrêtait devant aucune porte. Au contraire, il accélérait, ses pas précipités tambourinaient ; Louis étouffait les siens.

Soudain, le bruit cessa. Une chape de silence enveloppait l'immeuble. Louis avança.

Au ralenti. Il entendait sa propre respiration, les coups sourds de son cœur, le gargouillis de sa salive au fond de la gorge. L'escalier se terminait en cul-de-sac par un palier encombré de gravats. L'homme accroupi tremblait de tout son corps. Il tendait la serviette.

– Prenez ! Prenez tout, mais je vous en supplie, ne me dénoncez pas !

Louis distinguait mal le visage dans l'obscurité mais, au ton de la voix, il vit que l'individu frisait la crise de nerfs.

– Vous êtes juif ? murmura Louis.

L'homme ignora la question. Il poursuivit son monologue embrouillé, haletant comme s'il cherchait à dire le maximum de choses dans le minimum de temps.

– Les cartes de rationnement, les tickets, tout est là, il ne manque rien. Je n'en ai pas encore vendu, dites-leur bien que je n'en ai jamais volé d'autres, que je ne recommencerai pas… ou… ou plutôt, ne dites rien, profitez-en, il y en a pour des milliers de francs et…

Louis prit
le juif
en filature.

– Alors, vous n'êtes pas juif ? dit Louis.

– D'accord, si vous voulez, continuait l'homme, mais ne me dénoncez pas, oh ! non, je vous en supplie, vous comprenez, le bureau vide, sans surveillance, et toutes ces cartes…

Louis abandonna l'immeuble, ainsi que l'idée de repérer les juifs dans la rue.

Au cours d'une récréation, il fixa l'affiche au tableau noir de sa classe. Labris blêmit et l'arracha sans faire le moindre commentaire.

Dorémi prévint les Podski une semaine avant qu'un avis ne leur parvînt de la Kommandantur. Depuis quelque temps, il passait parfois au coron, déjeunait ou dînait. Ces invitations s'étaient mises en place progressivement, sans qu'ils y prennent garde, sans même qu'ils se souviennent comment cela avait débuté.

Dorémi appréciait les conserves de Hannah. En outre, le métier d'Abraham fascinait l'intellectuel qu'il était et, entre deux assiettées de haricots verts ou de champignons, il tentait de percer le mutisme du père de Louis. Un jour qu'il apportait une brassée de partitions à étudier et qu'il avait accepté de déjeuner, il dit soudainement :

– Bientôt, vous ne pourrez plus sortir le soir, ni, si tel est votre désir, quitter votre actuel logement au profit d'un autre.

Les Podski ne comprirent pas. Ils crurent d'abord à une de ces parties de conversations saisies au vol, sans réelle importance et dont il est inutile de demander la répétition. L'éloquence de Dorémi les impressionnait, parfois ils écoutaient avec la politesse de l'élève enregistrant le discours brumeux du maître. Ils poursuivirent leur repas, Hannah reprenant le sujet précédent là où Dorémi l'avait abandonné.

– Le petit progresse-t-il en musique ?

Dorémi balança sa fourchette dans son assiette. Il avait le visage des mauvais jours que seul Louis connaissait.

– Madame Podski, est-ce que vous m'entendez ? Je ne parle pas de piano, mais des nazis ! Les nazis franchissent une nouvelle étape dans l'abjection[1] et nous faisons semblant de nous intéresser à autre chose !

Hors de lui, il bondit de sa chaise et entreprit une ronde autour de la cuisine. Bouche bée, Louis, Abraham et Hannah suivaient les allées et venues saccadées que ponctuait un flux de paroles véhémentes. À bout d'arguments, Dorémi tira une feuille froissée de sa poche et dit :

– Lisez ! Tenez, lisez, j'ai recopié l'ordonnance allemande telle qu'elle paraîtra dans la presse, sur les affiches, d'ici quelques jours ! Verrez-vous enfin clair, vous, les juifs, au lieu de continuer à attendre je ne sais quel miracle ? Et nous, accepterons-nous encore longtemps de vivre en lâches ? Des moutons, nous sommes des moutons !

– Des moutons, nous sommes des moutons !

1. Abjection, *n. f.* : ce qui est ignoble, méprisable, répugnant.

Et là-dessus, Dorémi saisit sa canadienne posée sur le dos d'une chaise et claqua la porte !

La famille Podski déchiffra les quelques lignes griffonnées.

Février 1942.

Au nom des pleins pouvoirs qui m'ont été conférés par le Führer und Oberster Befellshaber der Wehrmacht, j'ordonne ce qui suit :

Il est interdit aux juifs d'être hors de leur logement entre 20 heures et 6 heures.

Il est interdit aux juifs de changer le lieu de leur résidence actuelle.

Les sanctions seront la prison, les amendes et l'internement dans un camp juif.

Le lendemain, Dorémi revenait, s'excusait, proposait de conduire Louis une nouvelle fois au cinéma. Abraham s'enferma une bonne heure en compagnie de celui qu'il appelait comiquement « Monsieur Dorémi ». Louis n'assista pas au départ de son professeur de piano ; par contre, lorsque Abraham revint dans la cuisine, il crut son père malade. Lui qui avait le teint naturellement très mat était d'une pâleur effroyable. Il s'approcha de la cuisinière, offrit ses paumes à la chaleur de la fonte et demeura ainsi immobile, cuisant ses mains.

– Ça va, papa ? dit Louis effrayé.

La tendresse inusitée de l'appellation éveilla Abraham de sa torpeur. Il fixa Louis, puis Hannah, inspecta la cuisine comme s'il découvrait un décor neuf, puis parla lentement, détachant les mots un par un, comme s'il s'adressait à des enfants :

– Jusqu'à aujourd'hui, j'hésitais. Maintenant, je suis certain. Les nazis nous extermineront. Tous. Ce sont des bêtes haineuses. Monsieur Dorémi a raison, nous sommes des moutons : peu à peu, ils nous ligotent à notre piquet et nous les regardons approcher brandissant leur massue, confiants comme les moutons le sont avec le boucher. Afin d'être sûrs que nous les attendrons sagement à notre pieu, ils nous interdisent de sortir la nuit, de changer de domicile. Cela suffit. Nous partirons.

– Enlève tes mains, papa, murmura Louis.

Abraham n'entendait pas. Ses mains étaient rouge brique, son visage livide.

– Où irons-nous ? dit Hannah. Nous ne connaissons personne nulle part et tu es mineur. Comment vivrons-nous ?

– Nous partirons, répéta obstinément Abraham, nous partirons je ne sais où, mais nous partirons. Hannah, rien n'arrêtera la haine imbécile, essayons au moins de ne pas faciliter la tâche des bourreaux. Nous partirons aussitôt que j'aurai pris les mesures essentielles.

– Enlève tes mains, papa, supplia Louis.

– Nous partirons loin des assassins, reprenait Abraham en hochant la tête, les moutons

s'égailleront, ah ! oui, pour une fois, le troupeau fuira…

Louis s'avança et retira les mains de son père de dessus la cuisinière. Elles étaient couleur de braise.

À compter de ce jour, lorsque Abraham ne travaillait pas la nuit, il sortait systématiquement après vingt heures, début du couvre-feu légal imposé aux juifs. Quelle que fût la température, il endossait sa canadienne ou un lourd manteau de laine grise, errait dans le coron ou poussait jusqu'à la ville. Ces promenades étranges, dépourvues de but, isolèrent davantage encore les Podski. De l'avis général, non seulement ils étaient juifs, mais aussi cinglés.

Le futur départ désespérait Louis. Comment quitter une ville dont la moindre rue était son domaine ? Comment abandonner les champs, les forêts avoisinants, irremplaçables terrains de jeux ? Comment enfin perdre le Café des Amis ?

Louis parlait plus aisément à madame Jeanne qu'à Hannah. Une certaine complicité s'établissait, faite de confiance et de secrets. Louis évitait de parler des Allemands à madame Jeanne et, pour madame Jeanne, la vie de Louis débutait au moment où il franchissait la porte du café. Au Café des Amis, Louis découvrait une quiétude que sa famille n'offrait plus. Autrefois si exubérante, Hannah se taisait, les yeux égarés dans d'éternelles pensées tristes. Elle accomplissait les tâches ménagères sans presque desserrer les lèvres. Abraham désertait la maison. Il travaillait à la mine, rentrait abruti de fatigue, dormait quelques heures, repartait aussitôt. Quelques mots happés au cours de rares conversations permirent à Louis de comprendre qu'Abraham s'occupait de leur fuite. Il s'adressait à d'anciens mineurs syndicalistes chassés de la mine.

L'univers de Louis s'effritait. Une ultime visite à l'annexe de la Kommandantur de la

rue du Moulin confirma la certitude que de grands changements se préparaient. Muni de Thermos de café fort (du véritable café que fournissaient les Allemands), de boîtes de sucre (du véritable sucre que…), il pénétra donc dans le hall du commandement allemand. Il était désert, mais des échelles, d'énormes pots de peinture étaient regroupés dans un coin. De l'étage provenait le bruit assourdi de travaux. Une épaisse poussière de plâtre flottait dans l'air. Louis gravit l'escalier. Les coups devinrent assourdissants. Il poussa une des portes du couloir qui desservait les bureaux. Dans la pièce, deux peintres grattaient les murs, arrachaient des lambeaux de tapisserie. Sans se retourner, un des hommes maugréa.

– Y a personne !

– Où sont les Allemands ? demanda Louis.

La voix de l'homme se durcit.

– Qu'est-ce que tu leur veux, aux Allemands ?

– Je… j'apporte du café… C'est madame Jeanne…

– Ouais, après tout, je m'en fous, coupa l'ouvrier. Adresse-toi à côté, il en reste un.

Il accéléra le rythme de son travail, indiquant que toute discussion était close.

Louis frappa à la porte indiquée.

– *Herein !*

Il avait l'habitude du mot, il obéit. Franz Hunger était là.

– Ah ! voici notre petit juif ! Serait-ce qu'il se décide enfin à nous communiquer des renseignements sur son ami terroriste Dorémi ?

– Le… le café, bredouilla Louis.

Franz Hunger éclata d'un rire sonore que répercutaient les murs vides. La pièce ne contenait plus qu'un bureau aux tiroirs béants.

– Le café ! Jamais plus nous n'aurons besoin du café de madame Jeanne ! Nous partons tous sur le front russe !

Il ricana.

– Et le lieutenant Franz Hunger fait le ménage !

Effectivement, il triait des papiers, des objets qu'il répartissait en deux tas. L'Allemand indiqua sa montre posée sur le bureau.

– Dans une heure, tout doit être terminé ! Direction Berlin, puis la Russie !

Son bras décrivit un arc de cercle qui embrassait aussi bien le bureau lui-même que les pots de peinture disséminés à travers la pièce.

– Mais rassurez-vous, la Kommandantur rénovera le bâtiment afin que nos successeurs se prélassent dans le luxe pendant que les communistes me troueront la peau du côté de Moscou !

Il fut interrompu par l'entrée d'ouvriers – trois hommes vêtus de salopettes blanches – qui disposaient du matériel. La vue des peintres – rappel du départ imminent – déclencha la fureur de l'officier allemand qui se mit à hurler.

– Et pourquoi me faire trouer la peau ? Pour que les petits youpins de votre espèce prospèrent afin qu'ils se reproduisent indéfiniment et contaminent le monde !

Il prit son portefeuille, tendit une photographie légèrement écornée. Louis demeura impassible. Il distingua la silhouette floue d'un enfant qui soufflait les bougies d'un gâteau d'anniversaire. Franz Hunger éructa.

– Mon fils Rudolph, huit ans ! Lui a besoin d'un père ! Et son père crèvera en Russie ! Pendant ce temps, vous, le juif, poursuivez votre vie tranquille au Café des Amis, votre père poursuivra ses crapuleries de juif qui rempliront ses poches de juif !

La haine aspirait les joues maigres de l'Allemand. Ses lèvres étaient deux traits violacés. Les peintres tripotaient leur matériel comme s'ils n'entendaient pas.

Louis Podski n'avait pas peur. Les élucubrations du lieutenant l'écœuraient.

Franz Hunger gagna le fond de la pièce, ouvrit la fenêtre à laquelle il s'accouda un instant. Il s'absorba dans la contemplation des toits et les peintres quittèrent la pièce en catimini. Puis l'Allemand se retourna et dit d'une voix sourde :

– Ne vous illusionnez pas : nous vous écrabouillerons ! Dans moins de dix ans, il n'existera plus un seul juif en Europe ! Profitez du temps qui vous reste, mon ami, profitez, parce que vos jours sont comptés ! En attendant, filez, le train de Berlin part dans trois quarts d'heure.

Louis Podski posa le panier, recula jusqu'à la porte. Il la franchissait lorsque Franz Hunger dit, montrant son poing serré :

– N'oubliez pas : écrabouillé !

Dans la rue, Louis ne put se défaire de l'image du poing brandi. Franz Hunger avait gagné : non, il n'oublierait pas !

Mais le lieutenant se souviendrait de la dernière visite de Louis Podski. Quelque part au fond d'un pot de peinture, il découvrirait – pour peu qu'il songe à le vider – sa montre, son portefeuille et ses lunettes.

Elle est en tissu jaune et porte, en caractères noirs, l'inscription « juif ».

29 MAI 1942 6

Paragraphe premier

Signe distinctif pour les juifs

I) Il est interdit aux juifs, dès l'âge de six ans révolus, de paraître en public sans porter l'étoile juive.

II) L'étoile juive est une étoile à six pointes ayant les dimensions de la paume d'une main et les contours noirs. Elle est en tissu jaune et porte, en caractères noirs, l'inscription « juif ». Elle devra être portée bien visiblement sur le côté gauche de la poitrine, solidement cousue sur le vêtement.

Paragraphe 2

Dispositions pénales

Les infractions à la présente ordonnance seront punies d'emprisonnement et d'amende ou d'une de ces peines. Des mesures de police, telles que l'internement dans un camp de juifs, pourront s'ajouter ou être substituées à ces peines.

Paragraphe 3

Entrée en vigueur

La présente ordonnance entrera en vigueur le 7 juin 1942.

Der Militärbefehlshaber
in Frankreich

AVIS

Les juifs devront se présenter au commissariat de police ou à la sous-préfecture de leur domicile pour y recevoir les insignes en forme d'étoile prévus au paragraphe premier de ladite ordonnance. Chaque juif recevra trois insignes et devra donner en échange un point de sa carte de textile.

Le chef supérieur de la Police et des S.S.

– Je ne la porterai pas, dit Louis, les dents serrées.

*– Non,
personne
ne la portera,
dit Abraham.*

Son regard affrontait celui de Hannah, tant il était certain que sa mère se présenterait au commissariat de police.

– Non, personne ne la portera, dit Abraham. Seuls les animaux qu'on s'apprête à abattre sont ainsi distingués du reste du troupeau.

Il s'exprimait d'une voix neutre, mais dans ses yeux bruns luisait l'éclat de la haine.

– Les Français ne laisseront pas faire ça, murmura Hannah, atterrée. Demain, il y aura des manifestations, des protestations dans les journaux, je ne sais pas, moi des…

– Rien ! Il n'y aura rien du tout ! coupa Abraham. Nous partirons dans trois ou quatre semaines, si possible avant le 14 juillet. Mes démarches touchent à leur fin, nous nous rendrons à Charolles, une petite ville de Saône-et-Loire où personne ne nous remarquera. Je travaillerai comme veilleur de nuit, dans un pensionnat.

– Je ne la porterai pas, répéta Louis, je ne la porterai jamais.

Son menton tremblait. Il fixait la toile cirée de la table comme s'il y distinguait une tache infecte.

Au Café des Amis, Louis mettait un ample tablier de toile bleue et s'installait derrière le comptoir.

JUILLET 1942 7

JUILLET éclatait. C'était comme si la guerre n'existait plus, comme si des promesses de bonheur infini naissaient avec le jour.

Au Café des Amis, Louis mettait un ample tablier de toile bleue et s'installait derrière le comptoir. Garçon attitré, employé à tout faire, il remplaçait monsieur Jean, perpétuellement absent.

Les jours filaient, monotones. Les clients, toujours les mêmes, arrivaient toujours aux mêmes heures, commandaient toujours les mêmes consommations, selon les disponibilités du moment. D'un coup de torchon mouillé, Louis balayait la table de marbre, puis il apportait le jeu de cartes et disposait le Picon-grenadine, la bière ou, lorsque madame Jeanne s'était bien débrouillée, l'apéritif ou la liqueur.

Depuis le départ des Allemands de la rue du Moulin, l'alcool se raréfiait. Cependant, de temps à autre, une caisse de cognac ou d'armagnac apparaissait dans l'arrière-salle. Sans doute était-ce là le résultat des « occupations » de monsieur Jean ; aucun des consommateurs ne s'étonnait de siroter de coûteux alcools introuvables ailleurs.

Biélot, mis en quarantaine depuis la parution de l'ordonnance nazie relative au port de l'étoile jaune, accaparait Louis Podski.

– Comme ça, au moins, on saura à qui on a affaire ! avait clamé le percepteur.

– Je croyais que vous renifliez les juifs de loin ! avait ricané Dorémi.

– Oh ! vous, l'intellectuel donneur de leçons, on connaît vos sympathies. N'est-ce pas, madame Jeanne, que le coup de l'étoile pour les youpins est une formidable trouvaille ?

Madame Jeanne lavait une série de bouteilles. Elle s'interrompit et l'on vit ses bras gras, dégoulinants d'eau, émerger de l'évier. Elle enfouit son visage entre ses mains mouillées et sa réponse parvint assourdie, presque inaudible.

– Parfois, monsieur Biélot, j'aimerais être Dieu ou le Diable…

– Et les frères, là, votre opinion ?

Les jumeaux s'étaient consultés du regard.

– C'est dégueulasse, avait dit l'un.

– Oui, c'est dégueulasse, avait conclu l'autre.

Quant à Chaunot, il avait montré sa béquille.

– Si j'ai perdu ma guibolle en 14…

Puis il s'était tu et, depuis, jamais il n'avait reparu au café. Les autres clients évitaient Biélot, maintenant isolé dans un coin de la salle. Il lançait nerveusement les dés d'ivoire à travers la piste verte du 421, mais le jeu ne l'intéressait plus. Louis le prenait en pitié. Ce vieil homme triturant ses dés, quêtant l'amitié d'une clientèle qui le fuyait, avait quelque

chose de pathétique. Louis le juif jouait aux dés en compagnie d'un antisémite dont il écoutait sans broncher les rancœurs aigres.

Mais, ce vendredi 10 juillet, Louis Podski n'avait pas le cœur à jouer. Le lendemain, la famille Podski quittait la ville. Abraham avait tout organisé ; ils partiraient au petit matin, n'emportant que deux valises. Hannah avait refusé de faire un choix.

– Quelle importance ! Nous sommes plus pauvres que lorsque nous sommes partis de Pologne.

Louis n'avait pas prévenu madame Jeanne. Ni les habitués. Seul Dorémi savait. Aussi, ce vendredi 10 juillet, essuyait-il les verres sans application et répondait-il à peine aux clients.

– Ça n'a pas l'air d'aller aujourd'hui, constata madame Jeanne inquiète. Loulou, quelque chose cloche ?

Louis concentra son attention sur le linge humide censé sécher la vaisselle.

– Si, si, ça va.

– Tu es certain ? Parce que si tu as un ennui… Demain, je compte sur toi pour fendre le bois de l'hiver. Si tu peux, viens plus tôt.

Louis pâlit.

– Demain, je… est-ce que je peux rentrer, madame Jeanne, je me sens barbouillé ?

– Ah ! je me doutais que tu n'étais pas dans ton assiette ! Mon petit Loulou…

Louis n'entendait plus. Il était dans la rue, le tablier bleu ceignant ses hanches, et ce ne fut qu'après une course de plusieurs centaines de mètres qu'il pensa à le retirer.

Louis marchait maintenant à pas lents, presque hésitants. Les rues étaient désertes. Demeurer au Café des Amis était impossible, mais rentrer à la maison était une corvée. Il y régnait une atmosphère insoutenable, composée des silences d'Abraham et des pleurs de Hannah. Les deux valises, sanglées de cordes trônaient dans le couloir, rappels incessants du proche départ.

Louis longea le square Thiers. La pancarte au-dessus de la grille d'entrée attira son regard, mais il détourna rapidement les yeux. Aujourd'hui, il se moquait de la mention infamante « jardin interdit aux juifs » et il ne traverserait pas le square comme il le faisait habituellement, par bravade.

Louis Podski prit par habitude le chemin du coron. Il traversa l'avenue Carnot, coupa le quartier des Abattoirs, suivit le canal durant quelques centaines de mètres. Il ne vit pas les pêcheurs, n'entendit pas le marinier qui le hélait. Il marchait comme un automate, bousculait les passants, obligeait les cyclistes à freiner.

Il marchait comme un automate.

Le coron avait l'air abandonné. Les mineurs de poste étaient partis, les autres dormaient, et leurs femmes, profitant d'un instant de calme, se reposaient. Les enfants barbotaient dans le canal et les plus courageux braconnaient dans la rivière, qu'ils atteignaient après une longue marche.

Pourquoi, dès l'extrémité de la rue, Louis Podski n'aperçut-il pas ses parents ? Abraham et Hannah étaient dans la cour auprès de deux hommes. Tout aurait dû l'alerter. La présence incongrue de ces individus. Celle de ses parents qui ne sortaient qu'exceptionnellement dans la cour, trop exiguë, préférant l'arrière de la maison, à l'abri des regards. L'allure figée, quasi théâtrale du groupe, était enfin un signe. Le quatuor, face à face comme dans un jeu de quatre coins, était silencieux. C'étaient quatre silhouettes à l'affût, quatre tensions vives.

Louis ne comprit pas qu'on l'attendait. Il avançait tel un zombie, son corps était au coron, ses pensées au Café des Amis.

Le réveil fut brutal.

Le réveil fut brutal. À quarante pas de la maison, un chant réanima ses sens engourdis.

Il fallut quelques secondes encore pour qu'il réalise, pour que ses yeux accommodent, pour que la réalité lui saute à la gorge. Il découvrit une scène incroyable, comique dans son absurdité. Abraham et Hannah chantaient en chœur, dans la cour, devant deux hommes ahuris. Quelques volets s'ouvrirent, des visages apparurent. Alors Louis Podski entendit les paroles. Les mots frappaient comme des poings.

Quand nous en serons au temps des cerises
Sifflera bien mieux le merle moqueur…

Un cri jaillit.

– C'est un signal ! C'est le gamin !

Le policier sauta le portillon. Mais il ne rattraperait jamais Louis Podski qui courait entre les maisons. La dernière image qu'il eut de ses parents fut la silhouette confuse de deux corps enlacés.

Après. Que s'était-il passé après ? Louis ne conservait aucun souvenir de l'après-midi d'errance à travers la ville. Ses yeux étaient secs mais douloureux, comme frottés de sable.

– C'est un signal ! C'est le gamin !

Son corps était glacé. À la nuit tombée, il s'était faufilé dans le coron. Tapi contre un muret, il claquait des dents malgré la douceur de la température. Une voisine, Mme Arnaud, le découvrit alors qu'elle fermait ses volets.

– Reste pas là, p'tiot, les Boches surveillent ta maison. Ils espèrent que tu reviendras.

– …

– Allez, faut que tu partes, c'est dangereux. Tu as certainement de la famille quelque part.

– Allez, faut que tu partes, c'est dangereux…

– …

La femme avait haussé les épaules et claqué les volets.

Louis était resté une bonne heure encore. Il entendait chanter Hannah et Abraham. Dans sa tête, il chantait aussi. Inlassablement.

Quand nous en serons au temps des cerises
Les gais rossignols…

Le chant devenait une atroce mélopée.

Au cœur de la nuit, à bout de forces, il avait frappé chez madame Jeanne. Elle était descendue ouvrir, en chemise de nuit. Louis s'était effondré en sanglots. Madame Jeanne n'avait pas dit un mot. Elle l'avait conduit dans la salle du café, l'avait pressé contre sa poitrine. Peu à peu, enfoui dans la tiédeur de sa chair douce et odorante, Louis s'était réchauffé. Lorsque le claquement des dents avait cessé, elle avait étendu l'adolescent sur la banquette de moleskine, sa tête reposant dans le creux de ses bras. Dans le noir, le carillon sonna deux heures, puis trois heures du matin. Enfin, bribe par bribe, Louis extirpa de son corps douloureux suffisamment de mots. Quand il eut terminé, madame Jeanne dit :

– Cette nuit, ils ont aussi arrêté Dorémi. C'était un résistant.

Le clic-clac du balancier du carillon explosait dans sa tête.

– Alors, si je suis tout seul, murmura Louis, j'aime mieux mourir.

Une légère pression de la main répondit à son désespoir.

– Loulou ?

– Oui ?

– Je te jure, dit madame Jeanne, je te jure que Hannah et Abraham reviendront. Tu me crois, mon petit Loulou ? Tu dois me croire.

Louis Podski s'endormit.

Maintenant, il roulait dans une voiture à gazogène au côté d'un vieil homme bougon. Madame Jeanne avait tout arrangé. L'homme était un passeur muni des papiers officiels permettant de franchir plusieurs fois par jour la ligne de démarcation. Au contrôle, les Allemands avaient salué « monsieur Robert », ils avaient plaisanté. D'un ton neutre, le conducteur avait précisé :

– J'emmène le gamin, j'ai un boulot monstre.

Et la voiture était repartie sans davantage de formalités. Ils se rendaient dans le Jura, avait dit madame Jeanne.

– Une ferme amie qui héberge déjà trois enfants juifs. Le village est au courant, mais les habitants sont solidaires. Là-bas, tu ne risques rien, au moins pour un temps, et, d'ici quelques mois, je te trouverai un refuge plus sûr encore. La guerre finira, Abraham et Hannah rentreront…

Madame Jeanne mentait. La douleur qui torturait Louis disait que ses parents ne reviendraient pas. Jamais. La camionnette roulait depuis une bonne heure et monsieur Robert ne desserrait pas les dents. Se débarrasser de son fardeau semblait être son unique préoccupation.

Enfin, ils atteignirent l'entrée d'un village dont Louis distingua la pancarte bleue marquée de lettres blanches ternies : RAHON.

– C'est là, dit l'homme.

Il arrêta l'automobile.

– Tiens, voici une lettre de madame Jeanne que tu donneras aux gens de la ferme. Moi, je ne vais pas plus loin, j'aime autant qu'on ne me voie pas trop dans le patelin. Les gazos ne courent pas les rues, je serais vite repéré.

Louis tenait la lettre du bout des doigts.

– Allez, prends la valise ! rudoya monsieur Robert. Je n'ai pas que ça à faire ! Suis la route, bifurque au premier chemin de terre avant les maisons. Impossible de te tromper, la ferme est isolée à l'extrémité de ce chemin qui se termine d'ailleurs en cul-de-sac.

Monsieur Robert ouvrit la portière. Louis se trouva planté au bord de la route, la valise à ses pieds. Déjà la camionnette opérait un demi-tour.

Louis Podski décacheta la lettre.

Ma chère Lucie,

Prends bien soin de mon gamin. Robert te racontera son histoire qui est hélas aujourd'hui l'histoire de tellement de pauvres gens. Ce gosse ne reverra peut-être jamais ses parents simplement parce qu'ils sont juifs. C'est atroce.

J'aime Louis comme s'il était le fils que je n'ai jamais eu. Si par malheur sa famille disparaissait, je serais sa mère. Je suis sa mère.

Épargne-lui le chagrin. Si tu peux. Je hais notre époque.

Ta Jeannette.

Louis Podski souleva la lourde valise et marcha vers la ferme dont il distinguait la forme oblongue à travers un rideau de peupliers.

Les arbres dissimulaient le camion noir, ainsi que les cinq ou six gendarmes assis à l'arrière. La veille, une dénonciation anonyme livrait à la police la cache des trois enfants juifs. Un quatrième, inattendu, Louis Podski, fut arrêté aussi ce jeudi 16 juillet 1942, dans la ferme de Lucie Radiot.

Table des matières

Jean-Paul Nozière

vit en Bourgogne. Publié pour la première fois en 1989,
son roman *La Chanson de Hannah*
a reçu le prix Enfantaisie 1991 à Genève.
En 1993, Jean-Paul Nozière a obtenu le Prix
Brive Montréal 12-17 ans pour l'ensemble de ses romans.

Du même auteur :

chez Nathan, dans la collection "Arc en Poche" :
Rube est un sale menteur (1988)

Chez Rageot :
Elsa et Antonio pour toujours ("Cascade", 1992)
Des crimes comme-ci, comme chat ("Cascade Policier", 1992)
Souviens-toi de Titus ("Cascade policier", 1993)
Prix Polar Jeunes de Grenoble
L'Amour K.O. ("Cascade", 1993)
Prix Sélection 1000 Jeunes Lecteurs 1994

Chez Bayard, dans la collection "Je Bouquine" :
Torpedo contre les gangsters (1991)
La Malédiction du corbeau (1992)

chez Mango-Poche :
Pépé Verdun (1993)
Z comme Zoulou (1993)

chez Gallimard :
Un été algérien ("Page Blanche", 1990 ; Folio-Junior, 1994)
Grand Prix Jeunesse de la Société des Gens de Lettres 1990,
Totem Télérama-Salon du livre de jeunesse de Montreuil 1990,
Prix d'honneur "Lire au collège" 1991
Retour à Ithaque ("Page blanche", 1992)
Bye-Bye Betty ("Page blanche", 1993)
Dossier top secret (Folio-Junior, 1994)
Ma chère Béa (Série noire, 1995)

chez d'autres éditeurs :
Le Facteur à l'envers (Hatier)
La Vie sauvage (Flammarion, "Castor poche", 1987)
Le Ventre du bouddha (Hachette, "Bibliothèque verte", 1990)
Soir d'été, appartement 3 B (Scandéditions-Accents, 1993)
Un été 58 (Seuil-Jeunesse, 1995)

Jacques Ferrandez

Influences

Toute la BD franco-belge et européenne,
de Hergé à Pratt, en passant par Tardi.

Amours et haines

Aime les moyens d'expression généreux
comme le cinéma, le roman noir et la BD.
Déteste les gens qui se protègent derrière un discours
comme certains artistes contemporains.

Parcours

Cinq années d'Arts-Déco à Nice pendant lesquelles
il commence à publier ses premières BD
sur des scénarios de Rodolphe dans *(À SUIVRE)*,
Métal hurlant, *Pilote*.
Au début des années 80
viennent les premiers albums en solo :
Arrière-pays chez Casterman
et la série *Carnets d'Orient*.
Travaille également comme illustrateur
chez Bayard, Hachette.

Envies

Continuer à pratiquer un métier
qu'on fait en s'amusant et en prenant du plaisir.

Dans la même collection

Dès 8 ans :

3. *Trois Aventures de l'Ogre-doux*
Jean-Loup Craipeau
5. *Gaël et Réséda* • Dominique Buisset
16. *Les Malheurs de Sophie* • Comtesse de Ségur
17. *L'école qui n'existait pas* • Gudule
25. *Le 397e Éléphant blanc* • René Guillot
33. *Les Nougats* • Claude Gutman
34. *Le Dragon déglingué* • Jean-Loup Craipeau
43. *L'Étrange Madame Mizu* • Thierry Lenain

Dès 9-10 ans :

1. *Gare au carnage, Amédée Petipotage !*
Jean-Loup Craipeau
2. *Trafic à la gare de Norvège*
Pierre Mezinski et Corinne Bouchard
6. *Cabot-Caboche* • Daniel Pennac
7. *L'Œil du loup* • Daniel Pennac
8. *Opération Marcellin* • Claire Mazard
9. *L'Expédition perdue* • Pierre Pelot
12. *Croc-Blanc* • Jack London
13. *Vingt Mille Lieues sous les mers* • Jules Verne
15. *Le Fil à retordre* • Claude Bourgeyx
18. *Les Mange-Forêts* • Kim Aldany
19. *Contes et Légendes des chevaliers de la Table Ronde* • Jacqueline Mirande
21. *Contes et Légendes de la mythologie grecque* • Claude Pouzadoux
22. *Contes et Légendes de l'Égypte ancienne*
Brigitte Évano
23. *Les 777 pouvoirs* • Renée Billot
26. *Sur la piste du loup* • Daniel Meynard
27. *Gazoline et Grenadine* • Jean-Loup Craipeau
28. *Un chien dans un jeu de quilles* • Thierry Lenain
35. *Le Renard de Morlange* • Alain Surget
36. *Les Horloges de la nuit* • Roderic Jeffries
37. *La Rédac* • Évelyne Reberg
38. *Julie-Égalité* • Jacqueline Mirande
41. *Pinocchio* • Carlo Collodi
44. *Le Redoublant* • Claire Mazard
45. *Contes et Légendes du Moyen Âge*
Jacqueline Mirande
47. *Le Secret de la falaise* • Yves Pinguilly
48. *Racamiel et Rigobert* • François Sautereau

Dès 11-12 ans :

4. *Lapoigne et l'Ogre du métro* • Thierry Jonquet
10. *La Dernière Pluie* • Jean-Pierre Andrevon
11. *Contes et Légendes de l'Odyssée*
Jean Martin
14. *La Guerre du Feu* • J.-H. Rosny aîné
20. *Contes et Légendes de la naissance de Rome*
François Sautereau
24. *Contes et Légendes de l'Iliade* • Jean Martin
30. *Dans les forêts de la nuit* • Nadèjda Garrel
31. *Lapoigne à la chasse aux fantômes*
Thierry Jonquet
32. *Jalouve* • Éric Sanvoisin
39. *Train d'enfer* • Michel Amelin
40. *Le Secret de la pierre noire* • Patrick Grainville
42. *Aïna, fille des étoiles* • Christian Grenier
46. *La Chanson de Hannah* • Jean-Paul Nozière

N° de Projet 10023384 (I) (7) OSBV 90
Dépôt légal septembre 1995
MAME Imprimeurs à Tours
Loi numéro 49 956 du 16 juillet 1949
sur les publications destinées à la jeunesse
ISBN 2.09.282135-0